#교과서×사고력
#게임하듯공부해
#스티커게임?리얼공부!

Go! 매쓰
초등 수학

저자 김보미

- 네이버 대표카페 '성공하는 공부방 운영하기' 운영자
- '미래엔', '메가스터디', '천재교육' 교재 기획 및 집필
- 전국 1,000개 이상의 공부방/선생님 컨설팅 및 교육
- 현재 〈GO! 매쓰〉 수학 공부방 운영

Chunjae
Makes
Chunjae

▼

기획총괄	김안나
편집개발	이근우, 김정희, 서진호, 한인숙, 최수정, 김혜민, 박웅
디자인총괄	김희정
표지디자인	윤순미
내지디자인	박희춘, 이혜미
제작	황성진, 조규영

발행일	2021년 1월 15일 2판 2022년 2월 15일 2쇄
발행인	(주)천재교육
주소	서울시 금천구 가산로9길 54
신고번호	제2001-000018호
고객센터	1577-0902
교재 구입 문의	1522-5566

교과서 GO! 사고력 GO!

Go! 매쓰

Run-B

교과서 사고력

수학 2-1

구성과 특징

1주차 교과 집중 학습

1 교과서 개념 완성

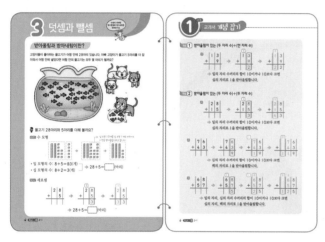

재미있는 수학 이야기로 단원에 대한 흥미를 높이고, 교과서 개념과 기본 문제를 학습합니다.

2 교과서 개념 PLAY

게임으로 개념을 학습하면서 집중력을 높여 쉽게 개념을 익히고 기본을 탄탄하게 만듭니다.

3 문제 풀이로 실력 & 자신감 UP!

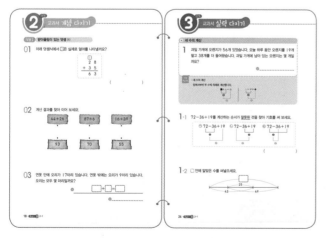

한 단계 더 나아간 교과서와 익힘 문제로 개념을 완성하고, 다양한 문제 유형으로 응용력을 키웁니다.

4 서술형 문제 풀이

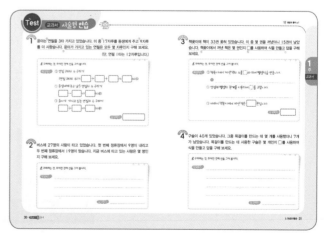

시험에 잘 나오는 서술형 문제 중심으로 단계별로 풀이하는 연습을 하여 서술하는 힘을 높여 줍니다.

2주차 사고력 확장 학습

1. 사고력 PLAY

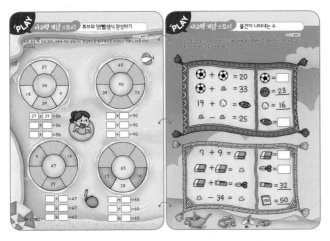

교과 심화 문제와 사고력 문제를 게임으로 쉽게 접근하여 어려운 문제에 대한 거부감을 낮추고 집중력을 높입니다.

2. 교과 사고력 잡기

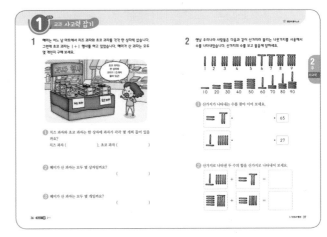

문제에 필요한 요소를 찾아 단계별로 해결하면서 문제 해결력을 키울 수 있는 힘을 기릅니다.

3. 교과 사고력 완성

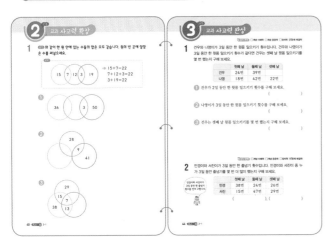

틀에서 벗어난 생각을 하여 문제를 해결하는 창의적 사고력을 기를 수 있는 힘을 기릅니다.

4. 종합평가 / 특강

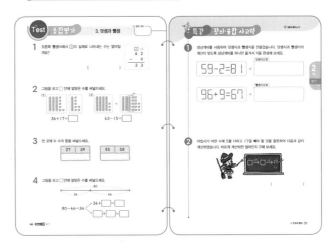

교과 학습과 사고력 학습을 얼마나 잘 이해하였는지 평가하여 배운 내용을 정리합니다.

3 덧셈과 뺄셈

단원과 관련된 받아올림과 받아내림을 살펴보아요.

받아올림과 받아내림이란?

고양이들이 좋아하는 물고기가 어항 안에 28마리 있습니다. 아빠 고양이가 물고기 5마리를 더 잡아와서 어항 안에 넣었다면 어항 안의 물고기는 모두 몇 마리가 될까요?

💡 물고기 28마리와 5마리를 더해 볼까요?

방법1 수 모형

→ 일 모형 10개를 십 모형 1개로 바꾸어요. 이것을 받아올림이라고 합니다.

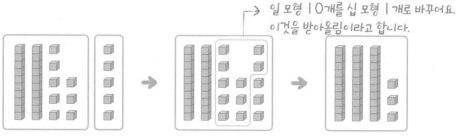

- 일 모형의 수: $8+5=13$(개)
- 십 모형의 수: $1+2=3$(개)

➡ $28+5=$ ☐ (마리)

방법2 세로셈

$$
\begin{array}{r} 2\ 8 \\ +\quad 5 \\ \hline \end{array}
\quad\rightarrow\quad
\begin{array}{r} {}^{1}\ \ \\ 2\ 8 \\ +\quad 5 \\ \hline 3 \end{array}
\quad\rightarrow\quad
\begin{array}{r} {}^{1}\ \ \\ 2\ 8 \\ +\quad 5 \\ \hline 3\ 3 \end{array}
$$

➡ $28+5=$ ☐ (마리)

물고기 33마리 중 7마리를 남매 고양이가 먹었습니다. 어항 안에 남아 있는 물고기는 몇 마리일까요?

💡 물고기 33마리 중 7마리를 빼 볼까요?

방법1 수 모형

→ 십 모형 1개를 일 모형 10개로 바꾸어요.
이것을 받아내림이라고 합니다.

- 일 모형의 수: $10+3-7=6$(개)
- 십 모형의 수: $3-1=2$(개)

$33-7=\boxed{}$(마리)

방법2 세로셈

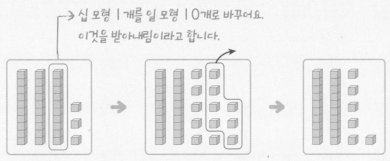

$33-7=\boxed{}$(마리)

개념 1 받아올림이 있는 (두 자리 수)+(한 자리 수)

예

$$
\begin{array}{r}
1\ 3 \\
+\ \ \ 9 \\
\hline
\end{array}
\Rightarrow
\begin{array}{r}
1\ 3 \\
+\ \ \ 9 \\
\hline
2 \\
\end{array}
\Rightarrow
\begin{array}{r}
{}^{1}\ \ \\
1\ 3 \\
+\ \ \ 9 \\
\hline
2\ 2 \\
\end{array}
$$

➡ 일의 자리 수끼리의 합이 10이거나 10보다 크면 십의 자리로 1을 받아올림합니다.

개념 2 받아올림이 있는 (두 자리 수)+(두 자리 수)

예

$$
\begin{array}{r}
2\ 8 \\
+\ 1\ 5 \\
\hline
\end{array}
\Rightarrow
\begin{array}{r}
2\ 8 \\
+\ 1\ 5 \\
\hline
3 \\
\end{array}
\Rightarrow
\begin{array}{r}
{}^{1}\ \ \\
2\ 8 \\
+\ 1\ 5 \\
\hline
4\ 3 \\
\end{array}
$$

➡ 일의 자리 수끼리의 합이 10이거나 10보다 크면 십의 자리로 1을 받아올림합니다.

예

$$
\begin{array}{r}
7\ 6 \\
+\ 4\ 3 \\
\hline
\end{array}
\Rightarrow
\begin{array}{r}
7\ 6 \\
+\ 4\ 3 \\
\hline
9 \\
\end{array}
\Rightarrow
\begin{array}{r}
{}^{1}\ \ \\
7\ 6 \\
+\ 4\ 3 \\
\hline
1\ 9 \\
\end{array}
\Rightarrow
\begin{array}{r}
1\ \ \ \\
7\ 6 \\
+\ 4\ 3 \\
\hline
1\ 1\ 9 \\
\end{array}
$$

➡ 십의 자리 수끼리의 합이 10이거나 10보다 크면 백의 자리로 1을 받아올림합니다.

예

$$
\begin{array}{r}
6\ 8 \\
+\ 5\ 7 \\
\hline
\end{array}
\Rightarrow
\begin{array}{r}
{}^{1}\ \ \\
6\ 8 \\
+\ 5\ 7 \\
\hline
5 \\
\end{array}
\Rightarrow
\begin{array}{r}
1\ \ \ \\
6\ 8 \\
+\ 5\ 7 \\
\hline
2\ 5 \\
\end{array}
\Rightarrow
\begin{array}{r}
1\ 1\ \ \\
6\ 8 \\
+\ 5\ 7 \\
\hline
1\ 2\ 5 \\
\end{array}
$$

➡ 일의 자리, 십의 자리 수끼리의 합이 10이거나 10보다 크면 십의 자리, 백의 자리로 1을 받아올림합니다.

개념 확인 문제

1 수 모형을 보고 ☐ 안에 알맞은 수를 써넣으세요.

(1)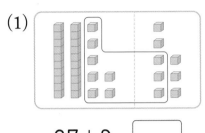

$$27 + 8 = \boxed{}$$

(2)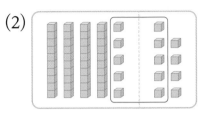

$$45 + 9 = \boxed{}$$

2-1 ☐ 안에 알맞은 수를 써넣으세요.

(1)
$$\begin{array}{r} \boxed{} \\ 5\ 3 \\ +\ 1\ 8 \\ \hline \boxed{}\ \boxed{} \end{array}$$

(2)
$$\begin{array}{r} \boxed{} \\ 4\ 6 \\ +\ 3\ 4 \\ \hline \boxed{}\ \boxed{} \end{array}$$

(3)
$$\begin{array}{r} \boxed{} \\ 2\ 9 \\ +\ 3\ 8 \\ \hline \boxed{}\ \boxed{} \end{array}$$

2-2 덧셈을 해 보세요.

(1)
$$\begin{array}{r} 7\ 2 \\ +\ 3\ 3 \\ \hline \end{array}$$

(2)
$$\begin{array}{r} 4\ 6 \\ +\ 9\ 1 \\ \hline \end{array}$$

(3)
$$\begin{array}{r} 8\ 5 \\ +\ 7\ 2 \\ \hline \end{array}$$

2-3 빈칸에 알맞은 수를 써넣으세요.

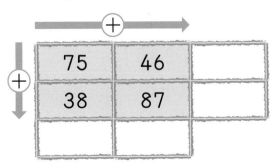

개념 3 받아내림이 있는 (두 자리 수)−(한 자리 수)

$$
\begin{array}{r}
3\ 2 \\
-\ \ 8 \\
\hline
\end{array}
\quad\Rightarrow\quad
\begin{array}{r}
{\small 2}\ {\small 10} \\
\cancel{3}\ 2 \\
-\ \ \ 8 \\
\hline
4 \\
2\ 0 \\
\hline
2\ 4
\end{array}
\quad
\begin{array}{r}
{\small 2}\ \boxed{\small 10} \\
\cancel{3}\ 2 \\
-\ \ \ 8 \\
\hline
\boxed{4}
\end{array}
\quad\Rightarrow\quad
\begin{array}{r}
\boxed{\small 2}\ {\small 10} \\
\cancel{3}\ 2 \\
-\ \ \ 8 \\
\hline
2\ 4
\end{array}
$$

➡ 일의 자리 수끼리 뺄 수 없으면 십의 자리에서 10을 받아내림합니다.

개념 4 받아내림이 있는 (몇십)−(몇십몇)

$$
\begin{array}{r}
6\ 0 \\
-2\ 3 \\
\hline
\end{array}
\quad\Rightarrow\quad
\begin{array}{r}
{\small 5}\ {\small 10} \\
\cancel{6}\ 0 \\
-2\ 3 \\
\hline
7 \\
3\ 0 \\
\hline
3\ 7
\end{array}
\quad
\begin{array}{r}
{\small 5}\ \boxed{\small 10} \\
\cancel{6}\ 0 \\
-2\ 3 \\
\hline
\boxed{7}
\end{array}
\quad\Rightarrow\quad
\begin{array}{r}
\boxed{\small 5}\ {\small 10} \\
\cancel{6}\ 0 \\
-2\ 3 \\
\hline
3\ 7
\end{array}
$$

➡ 일의 자리 수끼리 뺄 수 없으면 십의 자리에서 10을 받아내림합니다.

개념 5 받아내림이 있는 (두 자리 수)−(두 자리 수)

$$
\begin{array}{r}
5\ 4 \\
-2\ 9 \\
\hline
\end{array}
\quad\Rightarrow\quad
\begin{array}{r}
{\small 4}\ {\small 10} \\
\cancel{5}\ 4 \\
-2\ 9 \\
\hline
5 \\
2\ 0 \\
\hline
2\ 5
\end{array}
\quad
\begin{array}{r}
{\small 4}\ \boxed{\small 10} \\
\cancel{5}\ 4 \\
-2\ 9 \\
\hline
\boxed{5}
\end{array}
\quad\Rightarrow\quad
\begin{array}{r}
\boxed{\small 4}\ {\small 10} \\
\cancel{5}\ 4 \\
-2\ 9 \\
\hline
2\ 5
\end{array}
$$

➡ 일의 자리 수끼리 뺄 수 없으면 십의 자리에서 10을 받아내림합니다.

개념 확인 문제

3-1 수 모형을 보고 □ 안에 알맞은 수를 써넣으세요.

(1)

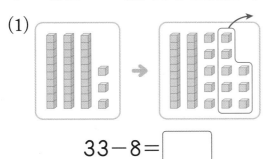

$33-8=$ □

(2)

$21-5=$ □

3-2 □ 안에 알맞은 수를 써넣으세요.

(1)
```
  □ □
  2 1
-   6
  □ □
```

(2)
```
  □ □
  4̸ 6
-   9
  □ □
```

(3)
```
  □ □
  5̸ 3
-   7
  □ □
```

4 뺄셈을 해 보세요.

(1)
```
  3 0
- 1 5
```

(2)
```
  5 0
- 2 4
```

(3)
```
  7 0
- 3 8
```

5 빈칸에 알맞은 수를 써넣으세요.

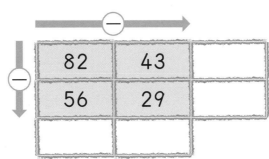

− →		
82	43	
56	29	

개념 6 35+27을 여러 가지 방법으로 계산하기

방법1

35에 20을 먼저 더하고 7을 더하기

$$35+27=35+20+7$$
$$=55+7=62$$

방법2

30과 20을 먼저 더하고 5와 7을 더하기

$$35+27=30+20+5+7$$
$$=50+12=62$$

방법3

35에 5를 먼저 더하고 22를 더하기

$$35+27=35+5+22$$
$$=40+22=62$$

방법4

35에 25를 먼저 더하고 2를 더하기

$$35+27=35+25+2$$
$$=60+2=62$$

방법5

35에 7을 먼저 더하고 20을 더하기

$$35+27=35+7+20$$
$$=42+20=62$$

방법6

40에 27을 더하고 5를 빼기

$$35+27=40+27-5$$
$$=67-5=62$$

개념 7 45-17을 여러 가지 방법으로 계산하기

방법1

45에서 10을 먼저 빼고 7을 더 빼기

$$45-17=45-10-7$$
$$=35-7=28$$

방법2

45에서 15를 먼저 빼고 2를 더 빼기

$$45-17=45-15-2$$
$$=30-2=28$$

방법3

45에서 5를 먼저 빼고 12를 더 빼기

$$45-17=45-5-12$$
$$=40-12=28$$

방법4

40에서 17을 빼고 5를 더하기

$$45-17=40-17+5$$
$$=23+5=28$$

6 48+16을 여러 가지 방법으로 계산하려고 합니다. ☐ 안에 알맞은 수를 써넣으세요.

(1) 방법1

48에 ☐ 을/를 먼저 더하고 ☐ 을/를 더합니다.

➡ 48+16=48+10+☐

=58+☐=☐

(2) 방법2

48에 ☐ 을/를 먼저 더하고 ☐ 을/를 더합니다.

➡ 48+16=48+2+☐

=50+☐=☐

(3) 방법3

☐ 에 16을 더하고 ☐ 을/를 뺍니다.

➡ 48+16=50+16-☐

=66-☐=☐

7 52-29를 여러 가지 방법으로 계산하려고 합니다. ☐ 안에 알맞은 수를 써넣으세요.

(1) 방법1

52에서 ☐ 을/를 먼저 빼고 ☐ 을/를 더 뺍니다.

➡ 52-29=52-22-☐

=30-☐=☐

(2) 방법2

30에서 29를 빼고 ☐ 을/를 더합니다.

➡ 52-29=30-29+☐

=1+☐=☐

(3) 방법3

52에서 30을 빼고 ☐ 을/를 더합니다.

➡ 52-29=52-30+☐

=22+☐=☐

개념 **8** 덧셈과 뺄셈의 관계를 식으로 나타내기

- 덧셈식을 뺄셈식으로 나타내기

$$14+29=43$$

$$\Rightarrow \begin{cases} 43-14=29 \\ 43-29=14 \end{cases}$$

- 뺄셈식을 덧셈식으로 나타내기

$$56-17=39$$

$$\Rightarrow \begin{cases} 17+39=56 \\ 39+17=56 \end{cases}$$

개념 **9** □의 값 구하기

$$11+\square=17 \Rightarrow 17-11=\square \Rightarrow \square=6$$

개념 **10** 세 수의 계산

- 더하고 빼기

$$37+34-45=26$$

❶ 71

❷ 26

```
  3 7          7 1
+ 3 4        - 4 5
❶ 7 1      ❷ 2 6
```

❶ 앞의 두 수를 더한 뒤
❷ 마지막 수를 뺍니다.

- 빼고 더하기

$$40-23+16=33$$

❶ 17

❷ 33

```
  4 0          1 7
- 2 3        + 1 6
❶ 1 7      ❷ 3 3
```

❶ 앞의 두 수를 뺀 뒤
❷ 마지막 수를 더합니다.

개념 확인 문제

8 그림을 보고 덧셈식을 뺄셈식으로, 뺄셈식을 덧셈식으로 나타내어 보세요.

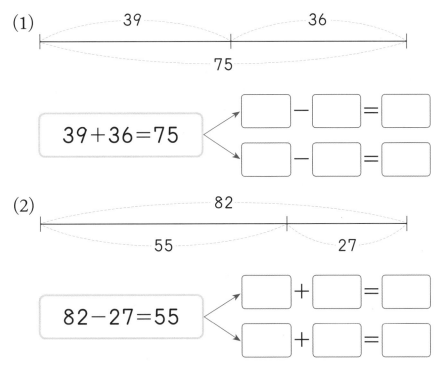

(1)

$39 + 36 = 75$

□ − □ = □

□ − □ = □

(2)

$82 - 27 = 55$

□ + □ = □

□ + □ = □

9 왼쪽 그림에서 남은 귤이 4개가 되도록 /로 지우고, □ 안에 알맞은 수를 써 넣으세요.

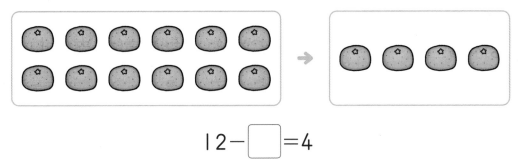

$12 - □ = 4$

10 □ 안에 알맞은 수를 써넣으세요.

(1) $25 + 29 - 36 = □$

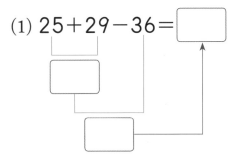

(2) $73 - 57 + 24 = □$

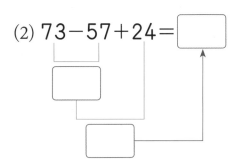

커피숍에 주문이 많이 들어왔습니다. 주문이 들어온 음료수들을 붙임딱지를 붙여 완성해 보세요.

준비물 붙임딱지

```
  5 7
+ 1 6
─────
  7 3
```

```
  1 9
+   4
─────
```

```
  2 4
+ 1 8
─────
```

```
  4 7
+ 1 8
─────
```

```
  6 3
+   7
─────
```

```
  7 3
+ 8 9
─────
```

```
  1 7
+ 6 4
─────
```

```
  2 8
+ 1 5
─────
```

```
  5 9
+ 4 5
─────
```

```
  3 9
+ 2 9
─────
```

```
  4 5
+   8
─────
```

```
  8 7
+ 9 8
─────
```

$$\begin{array}{r} 3\ 2 \\ +\quad 9 \\ \hline \end{array}$$

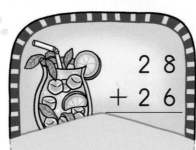

$$\begin{array}{r} 2\ 8 \\ +\ 2\ 6 \\ \hline \end{array}$$

$$\begin{array}{r} 7\ 9 \\ +\ 2\ 1 \\ \hline \end{array}$$

$$\begin{array}{r} 5\ 4 \\ +\quad 7 \\ \hline \end{array}$$

$$\begin{array}{r} 3\ 8 \\ +\ 1\ 9 \\ \hline \end{array}$$

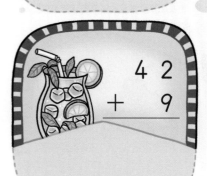

$$\begin{array}{r} 4\ 2 \\ +\quad 9 \\ \hline \end{array}$$

$$\begin{array}{r} 7\ 7 \\ +\ 5\ 9 \\ \hline \end{array}$$

$$\begin{array}{r} 6\ 4 \\ +\ 2\ 6 \\ \hline \end{array}$$

$$\begin{array}{r} 9\ 3 \\ +\ 3\ 9 \\ \hline \end{array}$$

$$\begin{array}{r} 6\ 8 \\ +\ 7\ 6 \\ \hline \end{array}$$

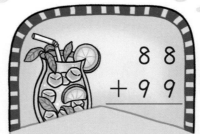

$$\begin{array}{r} 8\ 8 \\ +\ 9\ 9 \\ \hline \end{array}$$

$$\begin{array}{r} 7\ 9 \\ +\ 8\ 7 \\ \hline \end{array}$$

준비물 붙임딱지

음료수와 함께 먹을 컵케이크도 주문이 많이 들어왔습니다. 주문이 들어 온 컵케이크들을 붙임딱지를 붙여 완성해 보세요.

$$\begin{array}{r} 2\ 3 \\ -\ \ 7 \\ \hline 1\ 6 \end{array}$$

$$\begin{array}{r} 7\ 5 \\ -\ \ 8 \\ \hline \end{array}$$

$$\begin{array}{r} 5\ 1 \\ -\ \ 6 \\ \hline \end{array}$$

$$\begin{array}{r} 8\ 7 \\ -3\ 9 \\ \hline \end{array}$$

$$\begin{array}{r} 9\ 2 \\ -4\ 8 \\ \hline \end{array}$$

$$\begin{array}{r} 8\ 0 \\ -1\ 5 \\ \hline \end{array}$$

$$\begin{array}{r} 9\ 0 \\ -5\ 4 \\ \hline \end{array}$$

$$\begin{array}{r} 3\ 2 \\ -1\ 9 \\ \hline \end{array}$$

$$\begin{array}{r} 4\ 1 \\ -3\ 6 \\ \hline \end{array}$$

$$\begin{array}{r} 4\ 3 \\ -2\ 5 \\ \hline \end{array}$$

$$\begin{array}{r} 6\ 0 \\ -\ \ 3 \\ \hline \end{array}$$

$$\begin{array}{r} 4\ 1 \\ -1\ 5 \\ \hline \end{array}$$

$$\begin{array}{r} 4\ 7 \\ -\ 1\ 8 \\ \hline \end{array}$$

$$\begin{array}{r} 3\ 5 \\ -\ 1\ 6 \\ \hline \end{array}$$

$$\begin{array}{r} 6\ 2 \\ -\ 2\ 7 \\ \hline \end{array}$$

$$\begin{array}{r} 2\ 6 \\ -\ \ 9 \\ \hline \end{array}$$

$$\begin{array}{r} 5\ 3 \\ -\ 3\ 8 \\ \hline \end{array}$$

$$\begin{array}{r} 3\ 0 \\ -\ 1\ 6 \\ \hline \end{array}$$

$$\begin{array}{r} 4\ 2 \\ -\ 1\ 9 \\ \hline \end{array}$$

$$\begin{array}{r} 8\ 3 \\ -\ 5\ 8 \\ \hline \end{array}$$

$$\begin{array}{r} 5\ 1 \\ -\ \ 8 \\ \hline \end{array}$$

$$\begin{array}{r} 9\ 0 \\ -\ 3\ 9 \\ \hline \end{array}$$

$$\begin{array}{r} 6\ 1 \\ -\ 2\ 9 \\ \hline \end{array}$$

$$\begin{array}{r} 9\ 3 \\ -\ 6\ 6 \\ \hline \end{array}$$

개념 1 받아올림이 있는 덧셈 (1)

01 아래 덧셈식에서 ①은 실제로 얼마를 나타낼까요?

$$
\begin{array}{r}
① \\
2\ 8 \\
+\ 3\ 5 \\
\hline
6\ 3
\end{array}
$$

(   )

02 계산 결과를 찾아 이어 보세요.

44+26	87+6	16+39

93	70	55

03 연못 안에 오리가 17마리 있습니다. 연못 밖에는 오리가 9마리 있습니다. 오리는 모두 몇 마리일까요?

식   ☐ + ☐ = ☐

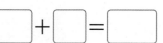

답 _____

1
주

교과서

개념2 **받아올림이 있는 덧셈** (2)

04 계산에서 <u>잘못된</u> 곳을 찾아 바르게 고쳐 계산해 보세요.

$$
\begin{array}{r}
6\ 9 \\
+\ 3\ 6 \\
\hline
9\ 5
\end{array}
$$

➡

05 계산 결과가 큰 순서대로 ◯ 안에 1, 2, 3을 써넣으세요.

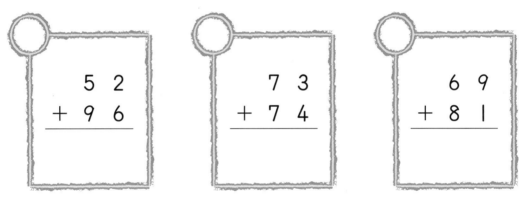

$$
\begin{array}{r}
5\ 2 \\
+\ 9\ 6 \\
\hline
\end{array}
$$

$$
\begin{array}{r}
7\ 3 \\
+\ 7\ 4 \\
\hline
\end{array}
$$

$$
\begin{array}{r}
6\ 9 \\
+\ 8\ 1 \\
\hline
\end{array}
$$

06 세 수 중에서 가장 큰 수와 가장 작은 수의 합을 구해 보세요.

| 89 | 27 | 65 |

식 _____

답 _____

개념**3** **받아내림이 있는 뺄셈** (1)

07 뺄셈을 해 보세요.

(1)
```
  3 1
-   7
```

(2)
```
  5 0
-   8
```

(3)
```
  6 0
- 3 6
```

08 빈 곳에 두 수의 차를 써넣으세요.

(1)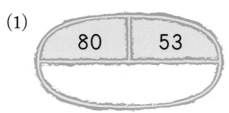

| 80 | 53 |

(2)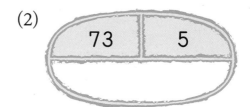

| 73 | 5 |

09 계산 결과가 다른 하나를 찾아 기호를 써 보세요.

ㄱ 42−9   ㄴ 70−37   ㄷ 51−28

(   )

10 사탕이 40개 있었습니다. 이 중에서 친구들에게 14개를 주었습니다. 남아 있는 사탕은 몇 개일까요?

식 □ − □ = □

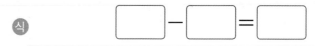

답 _____

개념 4 **받아내림이 있는 뺄셈** (2)

11 아래 뺄셈식에서 ⑤가 실제로 나타내는 수는 얼마일까요?

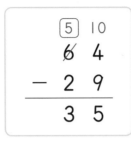

(   )

1
주
교과서

12 같은 것끼리 이어 보세요.

13 빈칸에 들어갈 수는 선으로 연결된 위에 있는 두 수의 차입니다. 빈칸에 알맞은 수를 써넣으세요.

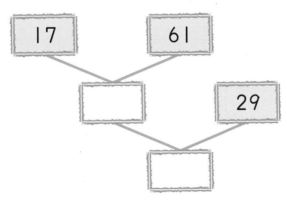

개념 5 여러 가지 방법으로 덧셈 · 뺄셈하기

14 49+35를 보기 와 다른 2가지 방법으로 계산해 보세요.

보기

49에 1을 먼저 더해서 계산하기

➡ 49+35=49+1+34

$=50+34=84$

방법1

49에 30을 먼저 더해서 계산하기

➡ 49+35

방법2

50에 35를 더해서 계산하기

➡ 49+35

15 62−45를 여러 가지 방법으로 계산해 보세요.

방법1 62에서 40을 먼저 빼서 계산하기

62−45

방법2 62에서 50을 빼서 계산하기

62−45

방법3 일의 자리 수를 2로 같게 하여 계산하기

62−45

개념 6 덧셈과 뺄셈의 관계를 식으로 나타내기

16 뺄셈식을 덧셈식으로 바르게 나타낸 것을 모두 찾아 기호를 써 보세요.

$$72-35=37$$

㉠ $37+35=73$ ㉡ $35+37=72$
㉢ $37+35=72$ ㉣ $72+37=109$

(   )

17 ☐ 안에 알맞은 수를 써넣으세요.

(1) $46-17=$ ☐ ➡ $17+$ ☐ $=46$

(2) $80-$ ☐ $=38$ ➡ $38+$ ☐ $=80$

18 세 수를 이용하여 덧셈식을 완성하고, 뺄셈식으로 나타내어 보세요.

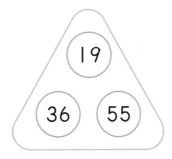

☐ $+$ ☐ $=$ ☐ ➡ ☐ _____

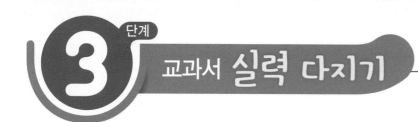

⭐ **세 수의 계산**

1 과일 가게에 오렌지가 56개 있었습니다. 오늘 하루 동안 오렌지를 19개 팔고 38개를 더 들여왔습니다. 과일 가게에 남아 있는 오렌지는 몇 개일까요?

답 _____

> **개념 피드백** • 세 수의 계산
> 앞에서부터 두 수씩 차례로 계산합니다.
>
>

1-1 72−36+19를 계산하는 순서가 <u>잘못된</u> 것을 찾아 기호를 써 보세요.

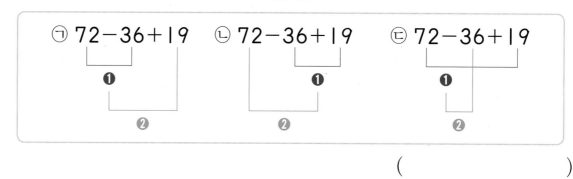

( )

1-2 ☐ 안에 알맞은 수를 써넣으세요.

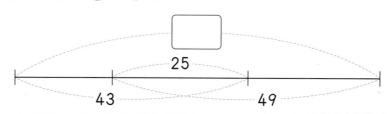

★ 바르게 계산한 값 구하기

2 54에 어떤 수를 더해야 할 것을 잘못하여 뺐더니 15가 되었습니다. 바르게 계산하면 얼마인지 구해 보세요.

① 어떤 수를 ☐라 하여 잘못 계산한 식을 쓰고 ☐의 값을 구해 보세요.

식 _____

답 _____

② 바르게 계산한 값을 구해 보세요.

식 _____

답 _____

개념 피드백 · 덧셈과 뺄셈의 관계

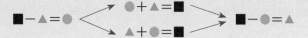

$$■ - ▲ = ● \quad \begin{matrix} ● + ▲ = ■ \\ ▲ + ● = ■ \end{matrix} \quad ■ - ● = ▲$$

2-1 어떤 수에 26을 더해야 할 것을 잘못하여 뺐더니 29가 되었습니다. 바르게 계산하면 얼마일까요?

( )

2-2 어떤 수에서 28을 빼야 할 것을 잘못하여 더했더니 90이 되었습니다. 바르게 계산하면 얼마일까요?

( )

⭐ **덧셈식 또는 뺄셈식 완성하기**

3 □ 안에 알맞은 수를 써넣으세요.

(1)
$$
\begin{array}{ccc}
 & 5 & \boxed{} \\
+ & 2 & 9 \\
\hline
 & 8 & 2 \\
\end{array}
$$

(2)
$$
\begin{array}{ccc}
 & \boxed{} & 0 \\
- & 2 & 5 \\
\hline
 & 4 & 5 \\
\end{array}
$$

**개념
피드백**

• 받아올림이 있는 덧셈과 받아내림이 있는 뺄셈

받아내림한 수

$$
\begin{array}{cc}
① & ① \\
2 & 7 \\
+ & 5 \\
\hline
3 & 2 \\
\end{array}
\qquad
\begin{array}{cc}
 & \\
3 & 4 \\
+ 2 & 6 \\
\hline
6 & 0 \\
\end{array}
\qquad
\begin{array}{cc}
4 & ⑩ \\
\cancel{5} & 0 \\
- 1 & 2 \\
\hline
3 & 8 \\
\end{array}
\qquad
\begin{array}{cc}
3 & ⑩ \\
\cancel{4} & 1 \\
- 2 & 7 \\
\hline
1 & 4 \\
\end{array}
$$

받아올림한 수

3-1 □ 안에 알맞은 수를 써넣으세요.

(1)
$$
\begin{array}{ccc}
 & \boxed{} & 9 \\
+ & 3 & 6 \\
\hline
 & 8 & 5 \\
\end{array}
$$

(2)
$$
\begin{array}{ccc}
 & 7 & \boxed{} \\
+ & \boxed{} & 4 \\
\hline
1 & 2 & 6 \\
\end{array}
$$

3-2 □ 안에 알맞은 수를 써넣으세요.

(1)
$$
\begin{array}{ccc}
 & \boxed{} & 2 \\
- & 3 & 8 \\
\hline
 & 2 & 4 \\
\end{array}
$$

(2)
$$
\begin{array}{ccc}
 & 6 & \boxed{} \\
- & \boxed{} & 9 \\
\hline
 & 4 & 7 \\
\end{array}
$$

★ □ 안의 수 구하기

4 20부터 29까지의 수 중 □ 안에 들어갈 수 있는 수를 모두 구해 보세요.

$$56+\boxed{}>83$$

답 _____

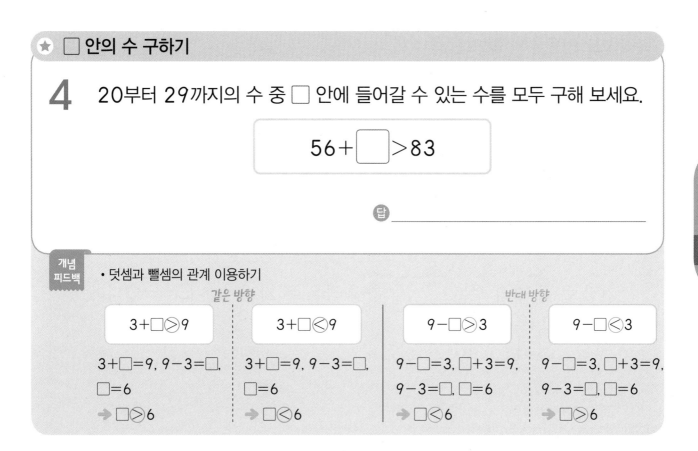

개념 피드백

• 덧셈과 뺄셈의 관계 이용하기

같은 방향

$3+\square \bigcirc 9$

$3+\square=9$, $9-3=\square$,
$\square=6$
➡ $\square \bigcirc 6$

$3+\square \bigcirc 9$

$3+\square=9$, $9-3=\square$,
$\square=6$
➡ $\square \bigcirc 6$

반대 방향

$9-\square \bigcirc 3$

$9-\square=3$, $\square+3=9$,
$9-3=\square$, $\square=6$
➡ $\square \bigcirc 6$

$9-\square \bigcirc 3$

$9-\square=3$, $\square+3=9$,
$9-3=\square$, $\square=6$
➡ $\square \bigcirc 6$

4-1 10부터 19까지의 수 중 □ 안에 들어갈 수 있는 수를 모두 구해 보세요.

$$48+\boxed{}>65$$

(   )

4-2 30부터 39까지의 수 중 □ 안에 들어갈 수 있는 수를 모두 구해 보세요.

$$72-\boxed{}>37$$

(   )

★ **수 카드로 만든 수의 합 또는 차**

5 수 카드 4장 중 2장을 골라 한 번씩 사용하여 두 자리 수를 만들려고 합니다. 만들 수 있는 가장 큰 수와 가장 작은 수의 합을 구해 보세요.

수의 크기를 비교하면 ☐ > ☐ > ☐ > ☐ 이므로 만들 수 있는

가장 큰 두 자리 수는 ☐ , 가장 작은 두 자리 수는 ☐ 입니다.

➡ ☐ + ☐ = ☐

답 _____

개념 피드백 • 만들 수 있는 두 자리 수 중 가장 큰 수와 가장 작은 수

■, ▲, ●, ★이 한 자리 수이고 ■ > ▲ > ● > ★일 때

가장 큰 두 자리 수: ■▲, 가장 작은 두 자리 수: ★● (단, ★이 0이면 ●★)입니다.

5-1 수 카드 3장 중 2장을 골라 한 번씩 사용하여 두 자리 수를 만들려고 합니다. 만들 수 있는 가장 작은 수와 72의 차를 구해 보세요.

( )

5-2 수 카드 4장 중 2장을 골라 한 번씩 사용하여 두 자리 수를 만들려고 합니다. 만들 수 있는 가장 큰 수와 가장 작은 수의 합과 차를 각각 구해 보세요.

합 ( ), 차 ( )

★ 계산 결과를 비교하여 값 구하기

6 지우와 성훈이는 수 카드를 2장씩 가지고 있습니다. 지우가 가진 카드에 적힌 두 수의 합은 성훈이가 가진 카드에 적힌 두 수의 합과 같습니다. 성훈이가 가지고 있는 다른 수 카드에 적힌 수는 얼마인지 구해 보세요.

답 _____

개념 피드백
• 덧셈과 뺄셈의 관계

6-1 저울의 양쪽에 있는 두 수의 합이 같습니다. ☐ 안에 알맞은 수를 구해 보세요.

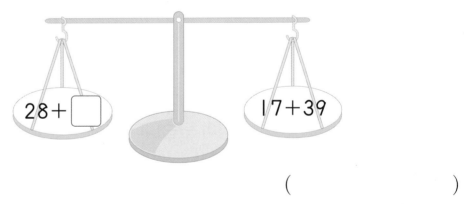

(   )

6-2 같은 모양 안에 적힌 수의 합은 같습니다. ㉠에 알맞은 수를 구해 보세요.

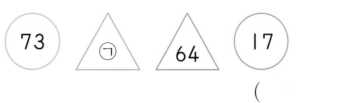

(   )

1 윤아는 ①연필을 3타 가지고 있었습니다. 이 중 ②17자루를 동생에게 주고 ③9자루를 더 사왔습니다. 윤아가 가지고 있는 연필은 모두 몇 자루인지 구해 보세요.
③

(단, 연필 1타는 12자루입니다.)

✏️ 구하려는 것, 주어진 것에 선을 그어 봅니다.

해결하기 ① 연필 3타의 수 구하기

(연필 3타의 수)= [ ] + [ ] + [ ] = [ ] (자루)

② 동생에게 주고 남은 연필의 수 구하기

[ ] − [ ] = [ ] (자루)

③ 윤아가 가지고 있는 연필의 수 구하기

[ ] + [ ] = [ ] (자루)

답 구하기 [   ]

2 버스에 27명의 사람이 타고 있었습니다. 첫 번째 정류장에서 9명이 내리고 두 번째 정류장에서 19명이 탔습니다. 지금 버스에 타고 있는 사람은 몇 명인지 구해 보세요.

✏️ 구하려는 것, 주어진 것에 선을 그어 봅니다.

해결하기 _____

_____

_____

답 구하기 _____

3

책꽂이에 책이 33권 꽂혀 있었습니다. 이 중 몇 권을 꺼냈더니 15권이 남았습니다. 책꽂이에서 꺼낸 책은 몇 권인지 ▢를 사용하여 식을 만들고 답을 구해 보세요. ③ ① ②

✎ 구하려는 것, 주어진 것에 선을 그어 봅니다.

해결하기

① 책꽂이에서 꺼낸 책의 수를 ▢라 하여 뺄셈식을 만듭니다.

식 _____

② 덧셈과 뺄셈의 관계를 이용하여 ▢를 구합니다.

_____

③ 따라서 책꽂이에서 꺼낸 책은 [   ]권입니다.

답 구하기 [   ]

4

구슬이 40개 있었습니다. 그중 목걸이를 만드는 데 몇 개를 사용했더니 7개가 남았습니다. 목걸이를 만드는 데 사용한 구슬은 몇 개인지 ▢를 사용하여 식을 만들고 답을 구해 보세요.

✎ 구하려는 것, 주어진 것에 선을 그어 봅니다.

해결하기

_____

_____

_____

_____

답 구하기 _____

준비물 붙임딱지

마주 보는 두 수의 합은 가운데 수와 같습니다. 붙임딱지를 붙여 튜브를 완성하고 덧셈식 3개를 완성해 보세요.

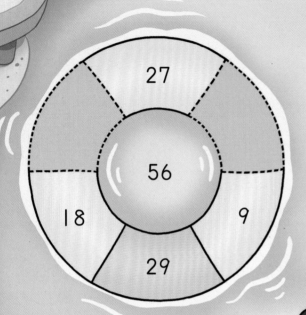

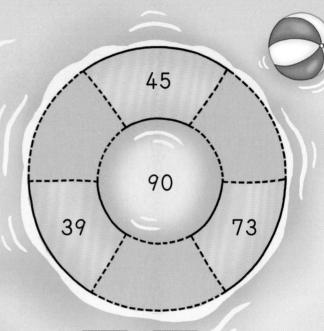

$$\boxed{27} + \boxed{29} = 56$$

$$\boxed{} + \boxed{} = 56$$

$$\boxed{} + \boxed{} = 56$$

$$\boxed{} + \boxed{} = 90$$

$$\boxed{} + \boxed{} = 90$$

$$\boxed{} + \boxed{} = 90$$

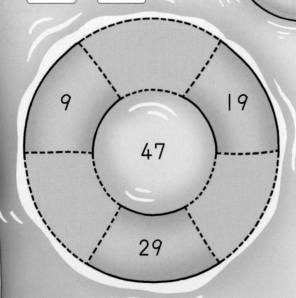

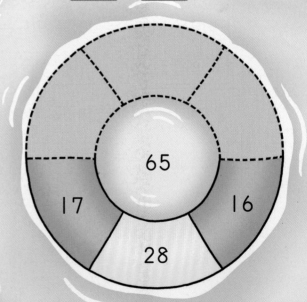

$$\boxed{} + \boxed{} = 47$$

$$\boxed{} + \boxed{} = 47$$

$$\boxed{} + \boxed{} = 47$$

$$\boxed{} + \boxed{} = 65$$

$$\boxed{} + \boxed{} = 65$$

$$\boxed{} + \boxed{} = 65$$

마주 보는 두 수의 차는 가운데 수와 같습니다. 붙임딱지를 붙여 튜브를 완성하고 두 자리 수끼리의 빽셈식 3개를 완성해 보세요.

준비물 붙임딱지

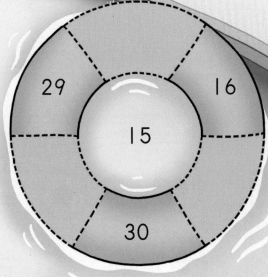

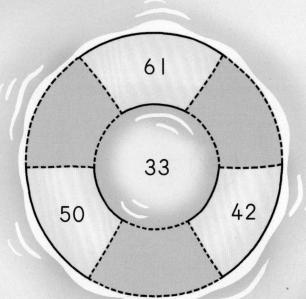

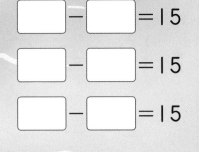

☐ － ☐ =15

☐ － ☐ =15

☐ － ☐ =15

☐ － ☐ =33

☐ － ☐ =33

☐ － ☐ =33

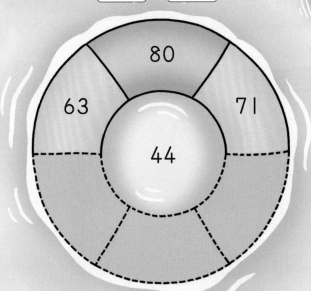

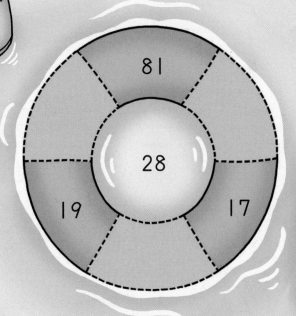

☐ － ☐ =44

☐ － ☐ =44

☐ － ☐ =44

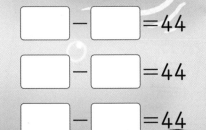

☐ － ☐ =28

☐ － ☐ =28

☐ － ☐ =28

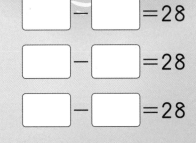

준비물 붙임딱지

같은 물건은 같은 수를 나타냅니다. 식에 알맞게 물건 붙임딱지를 붙여 찢어진 양탄자를 고치고 물건이 나타내는 수를 구해 보세요.

1 혜미는 어느 날 마트에서 치즈 과자와 초코 과자를 각각 한 상자씩 샀습니다. 그런데 초코 과자는 |＋| 행사를 하고 있었습니다. 혜미가 산 과자는 모두 몇 개인지 구해 보세요.

① 치즈 과자와 초코 과자는 한 상자에 과자가 각각 몇 개씩 들어 있을까요?

치즈 과자 (   ), 초코 과자 (   )

② 혜미가 산 과자는 모두 몇 상자일까요?

(   )

③ 혜미가 산 과자는 모두 몇 개일까요?

(   )

2 옛날 우리나라 사람들은 다음과 같이 산가지라 불리는 나뭇가지를 사용해서 수를 나타내었습니다. 산가지의 수를 보고 물음에 답하세요.

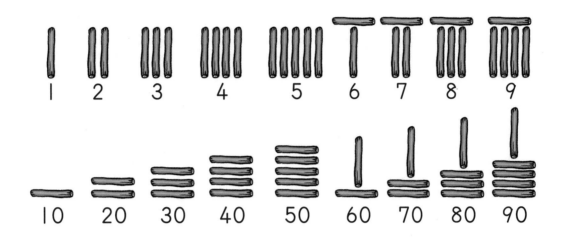

① 산가지가 나타내는 수를 찾아 이어 보세요.

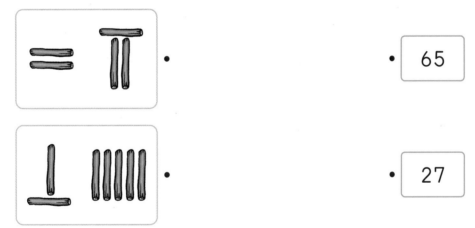

65

27

② 산가지로 나타낸 두 수의 합을 산가지로 나타내어 보세요.

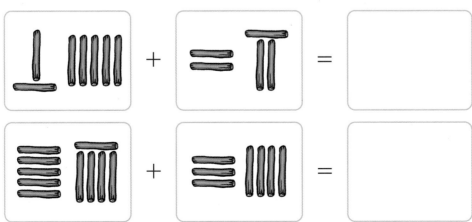

3 펭귄이 65에서 출발하여 얼음길을 따라 가려고 합니다. 계산 결과는 물고기가 있는 64가 나오도록 펭귄이 가야 하는 길을 표시해 보세요.

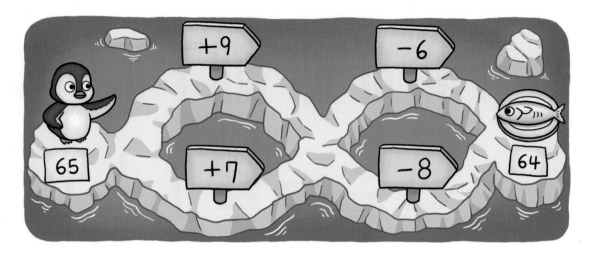

① 펭귄이 갈 수 있는 길은 모두 몇 가지일까요?

(   )

② 펭귄이 갈 수 있는 길을 따라 계산식을 만들어 계산해 보세요.

식1 _____

식2 _____

식3 _____

식4 _____

③ 펭귄이 가야 하는 길을 표시해 보세요.

4 지수와 승기는 과녁 맞히기 놀이를 했습니다. 두 사람은 각각 화살을 3개씩 쏘았고 맞힌 점수의 합이 같았습니다. 승기는 모두 다른 점수를 맞혔다면 승기가 맞힌 점수에 ○표 하세요.

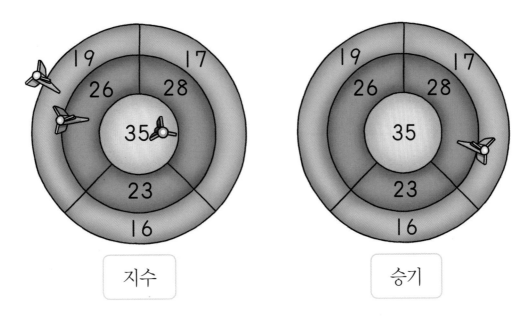

지수   승기

① 지수가 맞힌 점수는 모두 몇 점일까요?

식 _____

답 _____

② 맞힌 점수의 합이 같아지려면 승기는 몇 점을 더 맞혀야 할까요?

(   )

③ 승기는 모두 다른 점수를 맞혔다면 승기가 맞힌 점수에 ○표 하세요.

1 보기와 같이 한 원 안에 있는 수들의 합은 모두 같습니다. 원의 빈 곳에 알맞은 수를 써넣으세요.

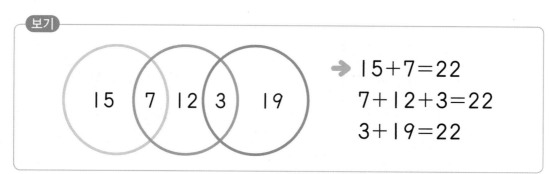

보기

→ $15+7=22$
$7+12+3=22$
$3+19=22$

①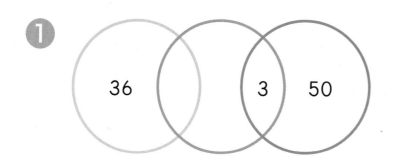

②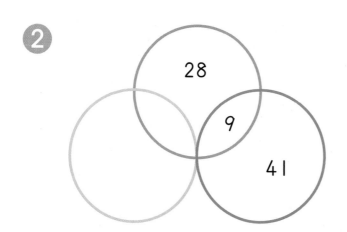

③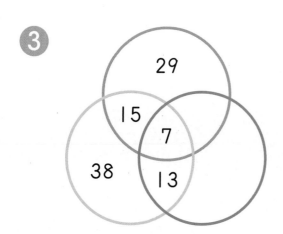

2 가을이 되면 꽃잎이 떨어져서 2장의 꽃잎만 남게 됩니다. 남아 있는 2장의 꽃잎에 써 있는 수의 합이 가운데 잎에 써 있는 수와 같아야 합니다. 남아 있는 꽃잎 2장을 찾아 ○표 하세요.

①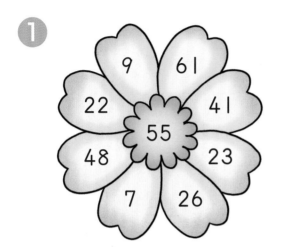

②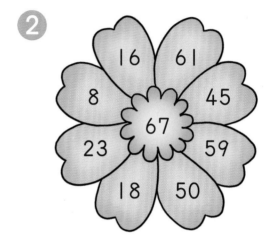

③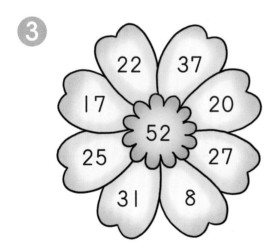

④

3 한 줄에 놓인 세 수의 합이 같습니다. 빈 곳에 알맞은 수를 써넣으세요.

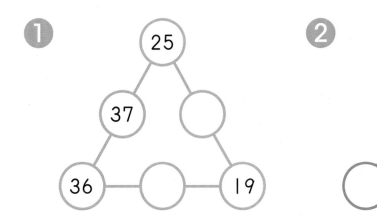

① 25, 37, 36, 19
② 35, 16, 40, 27

③

25		30
		9
23		37

④

	26	
15		
29	18	35

4 같은 선 위의 양쪽 끝에 있는 두 수의 차를 가운데에 쓰려고 합니다. 빈 곳에 알맞은 수를 써넣으세요.

① →52>23 ➔ 52−23

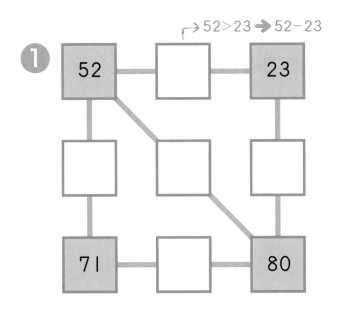

②

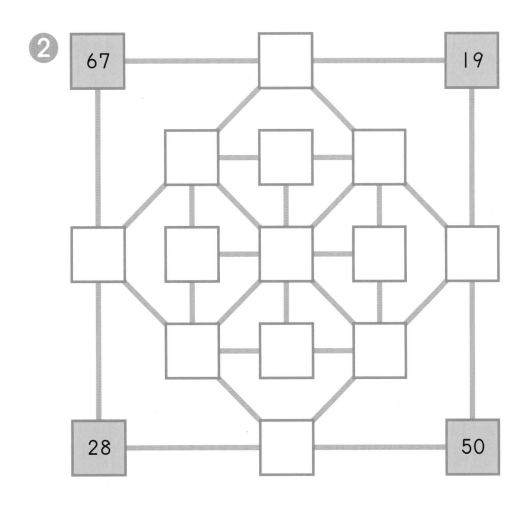

단계

3 교과 사고력 완성

1 건우와 나영이가 3일 동안 한 윗몸 일으키기 횟수입니다. 건우와 나영이가 3일 동안 한 윗몸 일으키기 횟수가 같다면 건우는 셋째 날 윗몸 일으키기를 몇 번 했는지 구해 보세요.

	첫째 날	둘째 날	셋째 날
건우	24번	39번	
나영	18번	42번	22번

① 건우가 2일 동안 한 윗몸 일으키기 횟수를 구해 보세요.

(   )

② 나영이가 3일 동안 한 윗몸 일으키기 횟수를 구해 보세요.

(   )

③ 건우는 셋째 날 윗몸 일으키기를 몇 번 했는지 구해 보세요.

(   )

2 민경이와 서진이가 3일 동안 한 줄넘기 횟수입니다. 민경이와 서진이 중 누가 3일 동안 줄넘기를 몇 번 더 많이 했는지 구해 보세요.

민경이와 서진이가 3일 동안 한 줄넘기 횟수를 먼저 구합니다.

	첫째 날	둘째 날	셋째 날
민경	38번	24번	26번
서진	15번	47번	29번

(   ), (   )

평가 영역 ☐개념 이해력 ☐개념 응용력 ☑창의력 ☐문제 해결력

3 수 카드 4장 중 2장을 골라 한 번씩 사용하여 두 자리 수를 만들려고 합니다. 만든 두 자리 수와 30의 차가 가장 작은 값은 얼마인지 구해 보세요.

❶ 만든 두 자리 수 중 30과 가까운 수를 2개 구해 보세요.

( )

❷ ❶에서 구한 두 자리 수와 30의 차를 각각 구하여 작은 값을 써 보세요.

□ – □ = □ , □ – □ = □

( )

평가 영역 ☐개념 이해력 ☐개념 응용력 ☑창의력 ☐문제 해결력

4 수 카드 5장 중 2장을 골라 한 번씩 사용하여 두 자리 수를 만들려고 합니다. 만든 두 자리 수와 55의 차가 가장 작게 되는 뺄셈식을 쓰고 답을 구해 보세요.

 만든 두 자리 수 중 55와 가까운 수를 생각합니다.

식 _____

답 _____

1 오른쪽 뺄셈식에서 ③이 실제로 나타내는 수는 얼마일까요?

(   )

$$
\begin{array}{r}
\boxed{3}\ \ 10 \\
\not4\ \ 2 \\
-\quad\ 9 \\
\hline
3\ \ 3
\end{array}
$$

2 그림을 보고 □ 안에 알맞은 수를 써넣으세요.

(1)

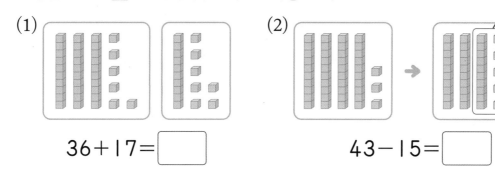

$36+17=\boxed{}$

(2)

$43-15=\boxed{}$

3 빈 곳에 두 수의 합을 써넣으세요.

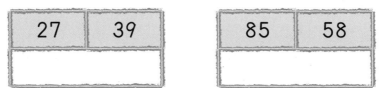

27	39

85	58

4 그림을 보고 □안에 알맞은 수를 써넣으세요.

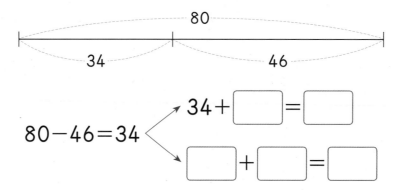

80

34   46

$80-46=34$

$34+\boxed{}=\boxed{}$

$\boxed{}+\boxed{}=\boxed{}$

5 38+57을 여러 가지 방법으로 구해 보세요.

(1) $38+57=38+50+\boxed{}$

$\quad\quad\quad = 88 + \boxed{}$

$\quad\quad\quad = \boxed{}$

(2) $38+57=38+60-\boxed{}$

$\quad\quad\quad = 98 - \boxed{}$

$\quad\quad\quad = \boxed{}$

2 주 평가

6 계산 결과를 비교하여 ○ 안에 >, =, <를 알맞게 써넣으세요.

$$52-13-6 \quad \bigcirc \quad 27+14-6$$

7 그림을 보고 □를 사용하여 식으로 나타내고 □의 값을 구해 보세요.

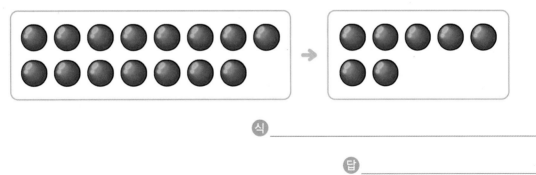

식 _____

답 _____

8 빈칸에 들어갈 수는 선으로 연결된 위에 있는 두 수의 합입니다. 빈칸에 알맞은 수를 써넣으세요.

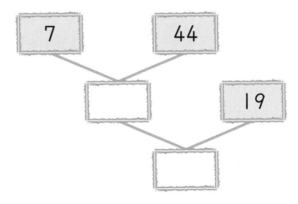

9 다음 세 수 중 가장 큰 수와 가장 작은 수의 합에서 나머지 수를 뺀 값을 구해 보세요.

| 65 | 73 | 17 |

(　　　　　　　　　)

10 다음 세 수를 모두 사용하여 덧셈식과 뺄셈식을 각각 완성해 보세요.

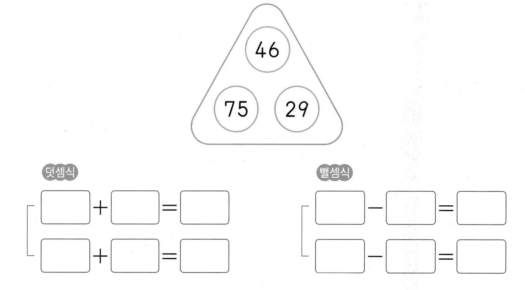

덧셈식

□ + □ = □
□ + □ = □

뺄셈식

□ − □ = □
□ − □ = □

11 어떤 수에서 28을 빼면 43이 됩니다. 어떤 수는 얼마일까요?

(　　　　　　　　　)

12 □ 안에 알맞은 수를 써넣으세요.

(1)
$$
\begin{array}{r}
\boxed{}\ 7 \\
+\ \boxed{} \\
\hline
6\ 4
\end{array}
$$

(2)
$$
\begin{array}{r}
\boxed{}\ 2 \\
-\ 1\ 6 \\
\hline
2\ \boxed{}
\end{array}
$$

13 30부터 39까지의 수 중 □ 안에 들어갈 수 있는 수를 모두 구해 보세요.

$$38+\boxed{}>74$$

(   )

14 □ 안에 알맞은 수가 가장 큰 것을 찾아 기호를 써 보세요.

㉠ $9+\boxed{}=37$ ㉡ $28+\boxed{}=52$

㉢ $\boxed{}+16=50$ ㉣ $64-\boxed{}=37$

(   )

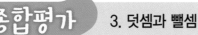
15 어떤 수에 37을 더해야 할 것을 잘못하여 뺐더니 53이 되었습니다. 바르게 계산하면 얼마인지 구해 보세요.

(   )

16 화살 두 개를 쏘았을 때 화살이 꽂힌 곳에 있는 두 수의 합이 가운데에 있는 수 75가 되게 하려고 합니다. 화살이 꽂힌 곳에 있는 두 수는 무엇인지 구해 보세요.

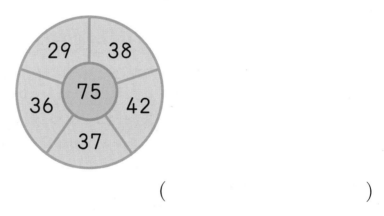

(   )

17 수 카드 4장 중 2장을 골라 한 번씩 사용하여 두 자리 수를 만들려고 합니다. 만든 두 자리 수와 54의 차가 가장 작게 되는 뺄셈식을 쓰고 답을 구해 보세요.

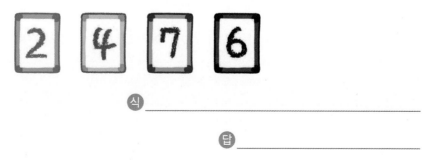

식 _____

답 _____

1 성냥개비를 사용하여 덧셈식과 뺄셈식을 만들었습니다. 덧셈식과 뺄셈식의 계산이 맞도록 성냥개비를 하나만 옮겨서 식을 완성해 보세요.

59-2=81 →

덧셈식으로

96+9=67 →

뺄셈식으로

2 마법사가 어떤 수에 5를 더하고 17을 빼야 할 것을 잘못하여 다음과 같이 계산하였습니다. 바르게 계산하면 얼마인지 구해 보세요.

(　　　　　　　　)

4 길이 재기

단원과 관련된 길이의 단위 이야기를 살펴보아요.

길이의 단위가 생겨난 이유

옛날에 키도 크고 강한 힘을 가진 왕이 있었습니다. 왕은 자신의 발 길이를 물건의 길이를 재는 단위로 정하였습니다. 하지만 다음에 발이 작은 사람이 왕위에 오르는 바람에 나라가 한바탕 소동이 벌어져서 백성들이 큰 혼란에 빠지게 되었습니다. 그래서 이런 문제가 생기지 않도록 공통 단위가 나오게 되었습니다.

옛날에는 어느 민족이든 신체의 일부분을 단위로 하여 길이를 재었습니다. 지금도 자신의 신체 부위의 길이를 알면 자가 없어도 길이를 재는 데 편리하게 이용할 수 있습니다.
몸을 이용한 길이 단위에는 큐빗, 양팔을 펼쳤을 때의 길이, 한 뼘, 피트, 인치가 있습니다.

☆ **큐빗**: 팔꿈치에서 가운뎃손가락까지의 길이
  피트: 발 뒤꿈치부터 엄지발가락까지의 길이로 성인의 발 길이에서 유래됨.
  인치: 어른 엄지손가락 너비에서 유래되었으나 오늘날에는 어린이의 엄지손가락 첫 마디 길이를 나타냄.

💡 액자의 긴 쪽의 길이와 짧은 쪽의 길이를 엄지손가락 너비를 이용하여 재려고 합니다. 엄지손가락 너비 붙임딱지를 붙여 보세요.

💡 고양이가 생선을 먹기 위해 길을 따라가려고 합니다. 세 가지 길 중에 가장 가까운 길을 따라 선을 그어 보세요.

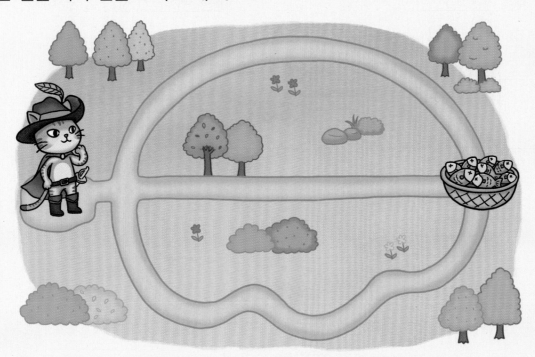

개념 1 여러 가지 단위로 길이 재기

• 우리 몸을 이용하여 길이 재기

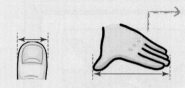

→ 뼘: 엄지손가락과 다른 손가락을 완전히 펴서 벌렸을 때에 두 끝 사이의 거리

예 뼘으로 우산의 길이 재기

→ 우산의 길이는 6뼘입니다.

• 여러 가지 단위로 길이 재기

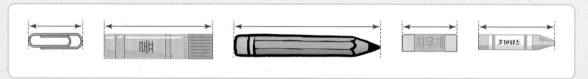

→ 길이를 잴 때 사용할 수 있는 단위에는 여러 가지가 있습니다.

예 여러 가지 단위로 리코더의 길이 재기

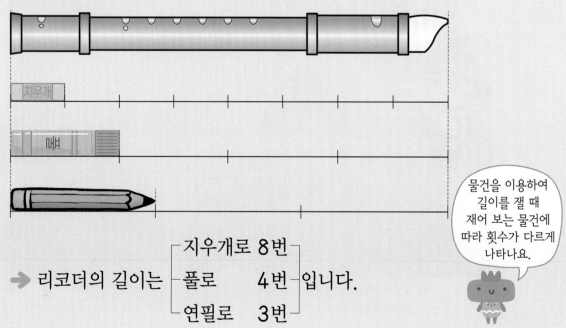

물건을 이용하여 길이를 잴 때 재어 보는 물건에 따라 횟수가 다르게 나타나요.

→ 리코더의 길이는 ┌ 지우개로 8번 ┐
　　　　　　　　├ 풀로　　 4번 ┤입니다.
　　　　　　　　└ 연필로　 3번 ┘

개념 확인 문제

1-1 나뭇가지의 길이는 못으로 몇 번일까요?

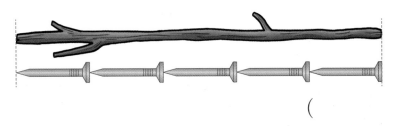

(   )

1-2 길이를 잴 때 사용하는 단위 중에 가장 긴 것에 ○표, 가장 짧은 것에 △표 하세요.

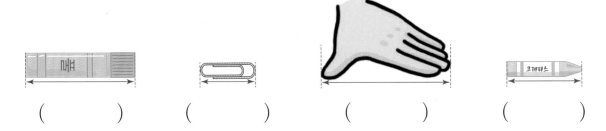

(   )   (   )   (   )   (   )

1-3 지우는 다이어리의 긴 쪽의 길이를 지우개와 클립으로 각각 재었습니다. 물음에 답하세요.

(1) 다이어리의 긴 쪽의 길이는 지우개로 몇 번일까요?

(   )

(2) 다이어리의 긴 쪽의 길이는 클립으로 몇 번일까요?

(   )

개념 **2** ㅣ cm 알아보기

• 뼘의 길이 비교하기

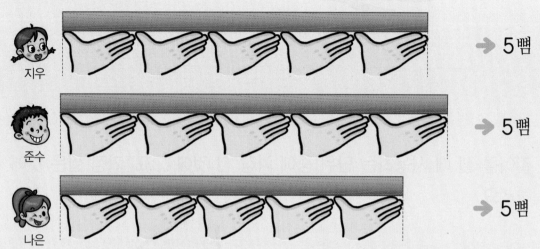

➡ 똑같은 5뼘이지만 사람마다 길이가 다릅니다.

참고 뼘으로 길이를 재면 사람마다 뼘의 길이가 달라서 정확한 길이를 알 수 없으므로 불편합니다. 따라서 길이가 일정한 물건으로 길이를 재어야 합니다.

• ㅣ cm 알아보기

▬▬의 길이를 ㅣcm 라 쓰고 ㅣ 센티미터라고 읽습니다.

참고 5 cm를 쓸 때 5는 크게 쓰고 cm는 작게 씁니다.

5cm   5 c̶m̶   5 c̶m̶

> 센티미터를 센치라고 줄여서 잘못 읽지 않도록 주의해요.

• 몇 cm 알아보기

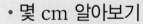

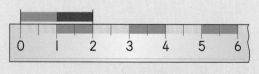

ㅣ cm 2번 ➡ 쓰기 2 cm
           읽기 2 센티미터

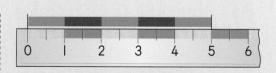

ㅣ cm 5번 ➡ 쓰기 5 cm
           읽기 5 센티미터

개념 확인 문제

2-1 자의 눈금을 보고 물음에 답하세요.

(1) 알맞은 말에 ○표 하세요.

큰 눈금 한 칸 사이의 길이는 (같습니다 , 다릅니다).

(2) ▬▬의 길이는 몇 cm인지 쓰고 읽어 보세요.

쓰기 (   )

읽기 (   )

3 주 교과서

2-2 정수와 수빈이가 뼘으로 교실에 있는 책상의 긴 쪽의 길이를 재었습니다. 한 뼘의 길이가 더 긴 사람은 누구일까요?

정수의 뼘	수빈이의 뼘
7번	8번

(   )

2-3 색연필의 길이를 쓰고 읽어 보세요.

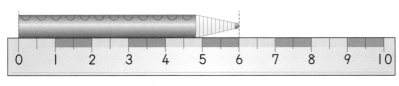

1 cm ▢ 번 ➡

쓰기	읽기

개념 **3** 자를 이용하여 길이 재기(1)

• 눈금 0에 맞추어 길이 재기

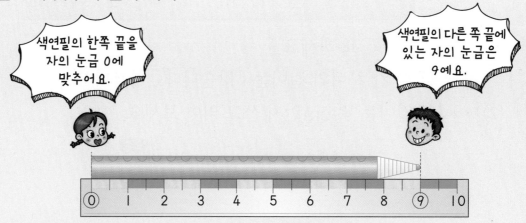

① 색연필의 한쪽 끝을 자의 눈금 0에 맞춥니다.

② 색연필의 다른 쪽 끝에 있는 자의 눈금을 읽습니다.

➡ 색연필의 길이는 9 cm입니다.

• 눈금 0이 아닌 한 눈금에 맞추어 길이 재기

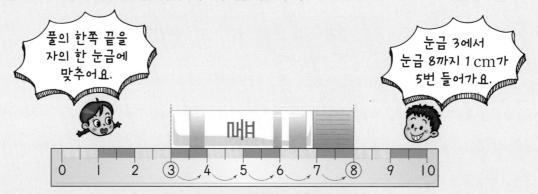

① 풀의 한쪽 끝을 자의 한 눈금에 맞춥니다.

② 그 눈금에서 다른 쪽 끝까지 1 cm가 몇 번 들어가는지 셉니다.

➡ 풀의 길이는 5 cm입니다.

참고 길이를 잘못 잰 경우

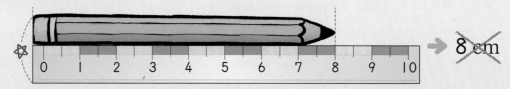

➡ 연필의 한쪽 끝을 자의 눈금 0에 정확하게 맞추지 않아 연필의
길이를 8 cm라고 할 수 없습니다.

개념 확인 문제

3-1 붓의 길이는 몇 cm일까요?

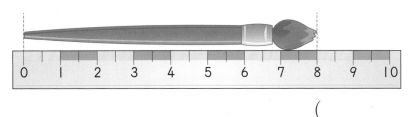

(   )

3
주
교과서

3-2 막대 사탕의 길이는 몇 cm인지 자로 재어 보세요.

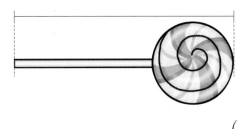

(   )

3-3 머리핀의 길이는 몇 cm일까요?

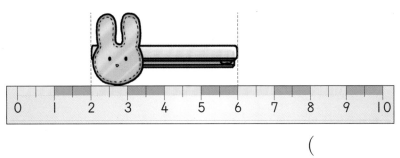

(   )

3-4 ☐ 안에 알맞은 수를 써넣으세요.

(1) 1 cm가 7번이면 ☐ cm입니다.

(2) 3 cm는 1 cm가 ☐ 번입니다.

개념 4 자를 이용하여 길이 재기 (2)

• 길이가 자의 눈금 사이에 있을 때 '약 몇 cm'로 나타내기

> 길이가 자의 눈금 사이에 있을 때는 눈금과 가까운 쪽에 있는 숫자를 읽으며, 숫자 앞에 약을 붙여서 말합니다.

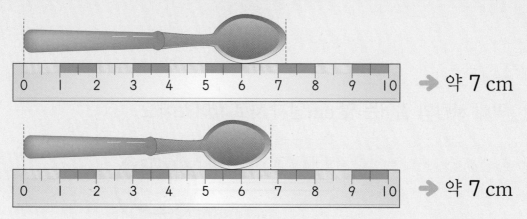

➡ 약 7 cm

➡ 약 7 cm

➡ 두 숟가락의 길이는 약 7 cm이지만 실제 길이는 다릅니다.

➡ 약 3 cm

➡ 성냥개비의 길이는 4 cm부터 재었기 때문에 약 3 cm입니다.

개념 5 길이를 어림하기

• 어림하고 자로 재어 확인하기

어림한 길이를 말할 때는 숫자 앞에 약을 붙여서 말합니다.

빵의 길이를 어림하면 약 4 cm예요.
승기

➡ 자로 잰 길이: 5 cm

빵의 길이를 어림하면 약 7 cm예요.
은지

➡ 어림한 길이와 실제 길이의 차가 승기는 5-4=1 (cm)이고, 은지는 7-5=2 (cm)이므로 실제 길이에 더 가깝게 어림한 사람은 승기입니다.

참고 어림한 길이와 자로 잰 길이가 다를 수 있습니다.

개념 확인 문제

4-1 칫솔의 길이는 약 몇 cm일까요?

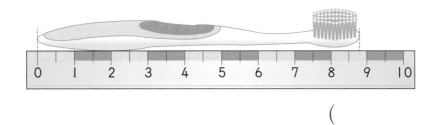

(   )

4-2 삼각형의 세 변의 길이를 각각 자로 재어 보세요.

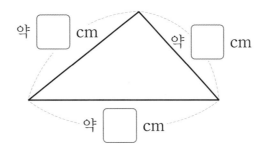

약 ▢ cm   약 ▢ cm

약 ▢ cm

5 물건의 길이를 어림하고 자로 재어 보세요.

(1)

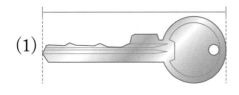

어림한 길이 약 (   )

자로 잰 길이 (   )

(2)

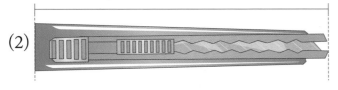

어림한 길이 약 (   )

자로 잰 길이 (   )

교과서 개념 스토리 　보물지도 만들기

준비물 ◀ 붙임딱지

해적이 숨겨 놓은 보물을 발견한 지우는 가지고 있는 물건을 이용해 보물지도를 만들려고 합니다. 점선 위에 붙임딱지를 붙여가면서 보물이 있는 곳을 설명해 보세요.

꽁꽁 숨겨 놓은 보물을 어떻게 찾았지?

여러 가지 단위로 길이를 재어서 보물의 위치를 찾아보자.

표시에서 출발하여 위쪽으로(↑) 〰 으로 ☐ 번 잰 곳에 🏴‍☠️ 이 있고, 🏴‍☠️ 에서

오른쪽으로(→) 〰 로 ☐ 번 잰 곳에 ☸ 가 있습니다. ☸ 에서 아래쪽으로(↓)

〰 으로 ☐ 번 잰 곳에 ⚓ 이 있고, ⚓ 에서 왼쪽으로(←) 〰 로 ☐ 번 잰 곳에

🧭 이 있습니다. 🧭 에서 ╱ 방향으로 〰 로 ☐ 번 잰 곳에 💰 이 있습니다.

또 다른 보물을 발견한 지우는 발자국을 이용해 보물지도를 만들려고 합니다.
점선 위에 발자국 붙임딱지를 붙여가면서 보물이 있는 곳을 설명해 보세요.

표시에서 출발하여 위쪽으로(↑) 으로 ☐ 번 잰 곳에 ☠️이 있고,

에서 ↗ 방향으로 으로 ☐ 번 잰 곳에 이 있습니다.

에서 ↘ 방향으로 으로 ☐ 번 잰 곳에 가 있고,

에서 ↘ 방향으로 으로 ☐ 번 잰 곳에 이 있습니다.

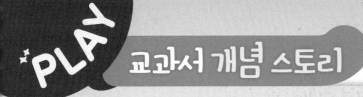

준비물 붙임딱지

지훈이네 마을지도입니다. | cm, 2 cm, 3 cm, 5 cm 막대 붙임딱지를 점선 위에 붙여가며 거리를 재어 보고, 거리에 알맞은 건물 붙임딱지를 붙여 보세요.

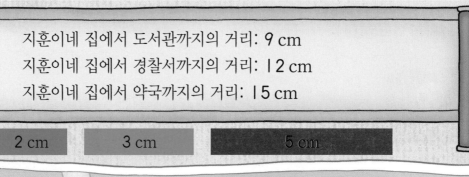

지훈이네 집에서 도서관까지의 거리: 9 cm
지훈이네 집에서 경찰서까지의 거리: 12 cm
지훈이네 집에서 약국까지의 거리: 15 cm

| | cm | 2 cm | 3 cm | 5 cm |

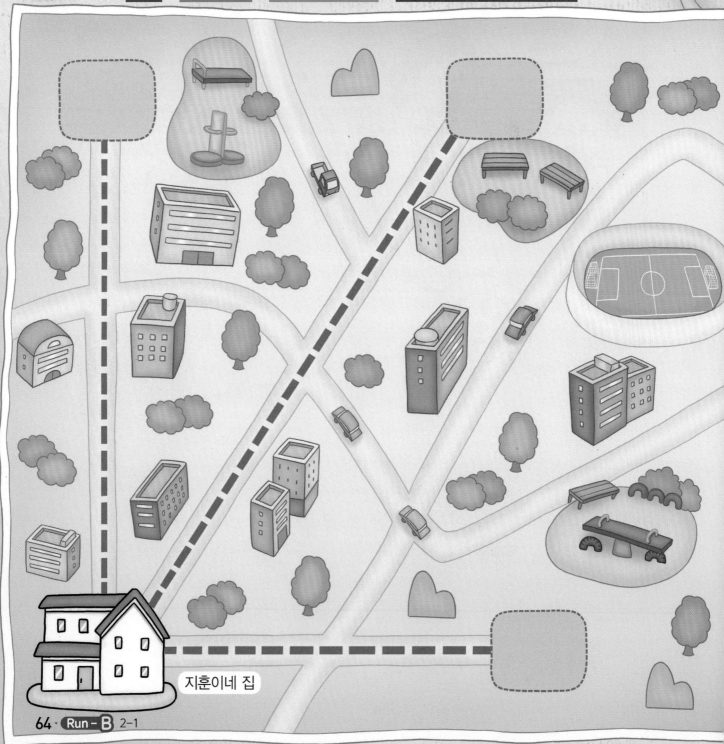

지훈이네 집

영우네 마을지도입니다. 1 cm, 2 cm, 3 cm, 5 cm 막대 붙임딱지를 점선 위에 붙여가며
거리를 재어 보고, 거리에 알맞은 건물 붙임딱지를 붙여 보세요.

영우네 집에서 학교까지의 거리: 10 cm
영우네 집에서 병원까지의 거리: 8 cm
영우네 집에서 소방서까지의 거리: 17 cm

1 cm   2 cm   3 cm   5 cm

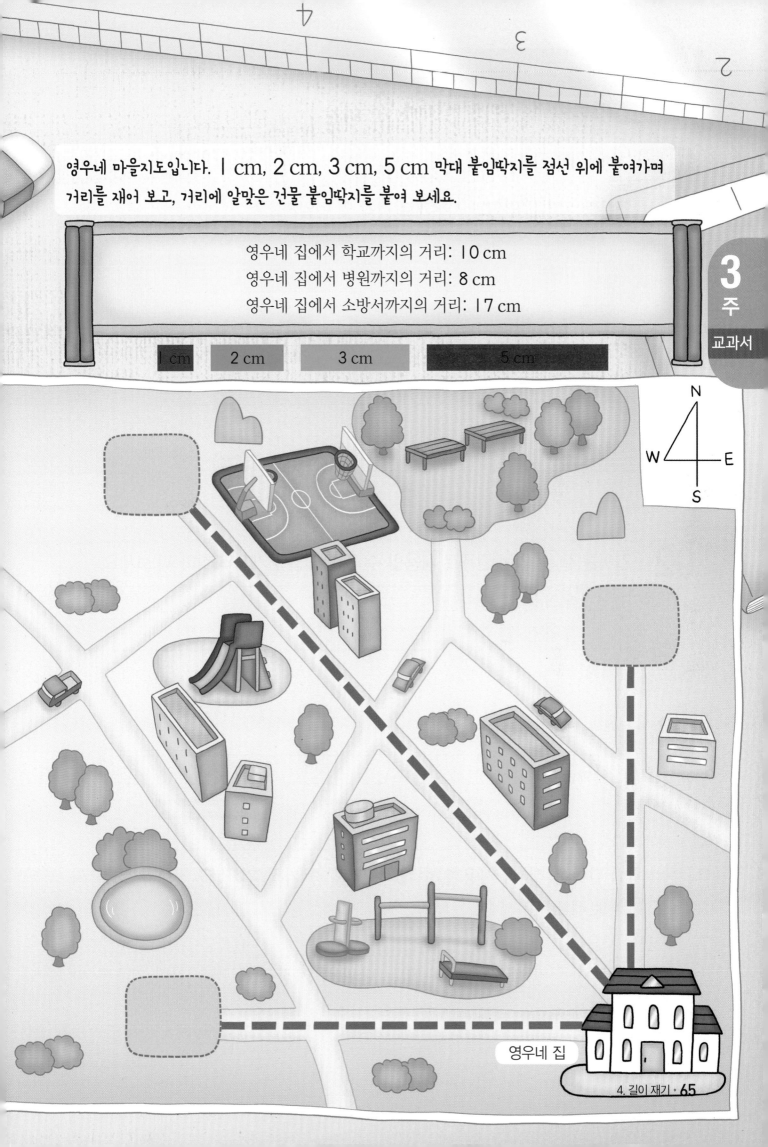

영우네 집

4. 길이 재기 · 65

개념 1 여러 가지 단위로 길이 재기

01 필통의 길이는 연필과 지우개로 각각 몇 번일까요?

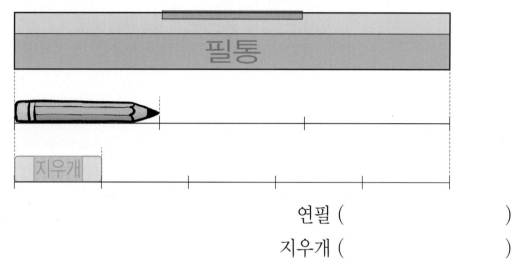

연필 ( )

지우개 ( )

02 길이를 잴 수 있는 단위로 사용할 수 있는 것을 2가지씩 찾아 써 보세요.

| 우리 몸 | , |
| 우리 집 | , |

03 그림을 보고 물음에 답하세요.

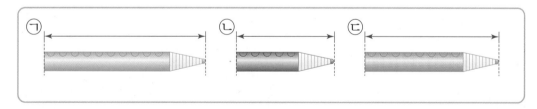

(1) 길이를 잴 때 사용할 수 있는 단위 중 가장 긴 것을 찾아 기호를 써 보세요.

( )

(2) 길이를 잴 때 사용할 수 있는 단위 중 가장 짧은 것을 찾아 기호를 써 보세요.

( )

3
주

교과서

개념2 | 1 cm **알아보기**

04 승기와 호동이는 각자의 뼘으로 교실 문의 긴 쪽의 길이를 재었더니 다음과 같이 다른 결과가 나왔습니다. 왜 다른 결과가 나왔는지 알맞은 말에 ○표 하세요.

승기의 뼘	호동이의 뼘
16번	15번

➡ 사람마다 뼘의 길이가 (같기 , 다르기) 때문입니다.

05 한 칸의 길이는 1 cm입니다. 주어진 길이만큼 점선을 따라 선을 그어 보세요.

(1) **3 cm** |-------|-------|-------|-------|-------|-------|-------|-------|-------|

(2) **5 cm** |-------|-------|-------|-------|-------|-------|-------|-------|-------|

06 길이가 1 cm, 2 cm, 3 cm인 막대가 있습니다. 이 막대들을 여러 번 사용하여 서로 다른 방법으로 7 cm를 색칠해 보세요.

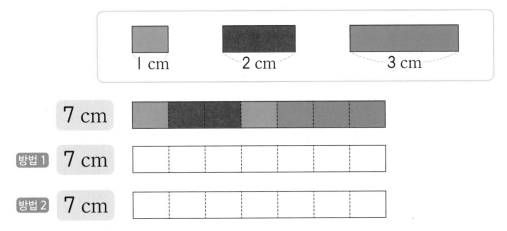

2 교과서 개념 다지기

개념 3 눈금 0에 맞추어 길이 재기

07 길이를 자로 바르게 잰 것을 찾아 기호를 써 보세요.

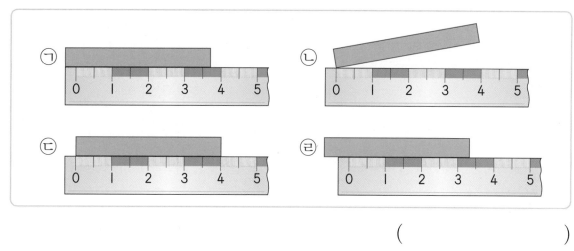

(   )

08 ☐ 안에 알맞은 수를 써넣으세요.

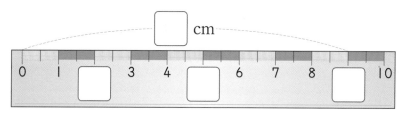

09 벽돌의 길이를 자로 재어 보세요.

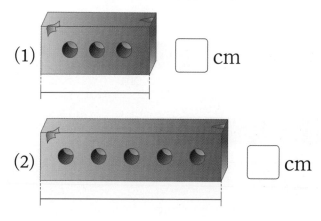

(1) ☐ cm

(2) ☐ cm

개념 4　눈금이 0이 아닌 한 눈금에 맞추어 길이 재기

10　같은 길이끼리 이어 보세요.

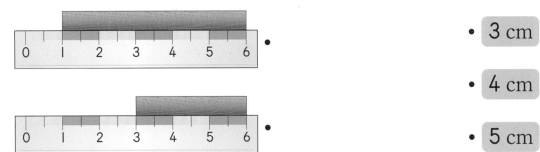

- 3 cm
- 4 cm
- 5 cm

11　포크의 길이는 몇 cm일까요?

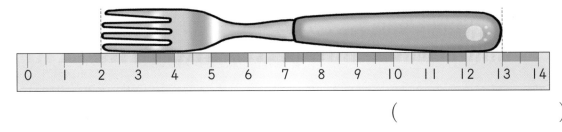

(　　　　　　　　)

12　연필의 길이가 더 긴 것의 기호를 써 보세요.

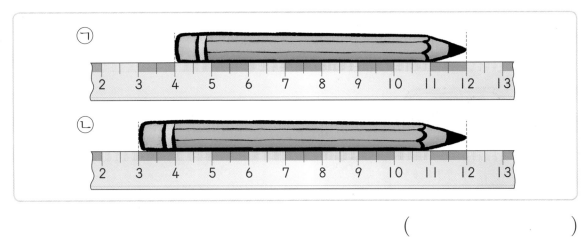

(　　　　　　　　)

개념 5 길이가 자의 눈금 사이에 있을 때 길이 재기

13 색 테이프의 길이를 재어 보고 세형이는 약 6 cm, 민지는 약 7 cm라고 말하였습니다. 길이 재기를 바르게 한 사람은 누구일까요?

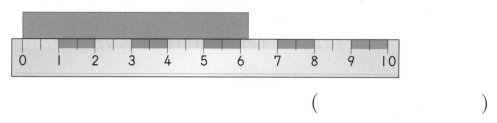

(   )

14 과자의 길이는 약 몇 cm일까요?

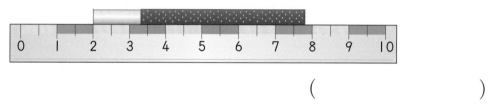

(   )

15 물건의 길이를 자로 재어 보세요.

(1)   ➡ 약 [   ] cm

(2)   크레파스   ➡ 약 [   ] cm

개념6 **길이를 어림하기**

16 보기에서 알맞은 길이를 골라 문장을 완성해 보세요.

보기

| 3 cm | 30 cm | 75 cm | 138 cm |

(1) 지우개의 길이는 ☐ 입니다.

(2) 초등학교 2학년인 서진이의 키는 ☐ 입니다.

17 물건의 실제 길이에 가장 가까운 것을 찾아 이어 보세요.

콩 • • 25 cm

풀 • • 1 cm

공책의 긴 쪽 • • 6 cm

18 ㉠과 ㉡의 길이를 각각 어림하고 자로 재어 보세요.

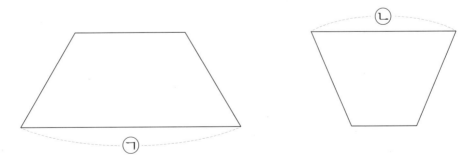

	어림한 길이	자로 잰 길이
㉠	약	
㉡	약	

★ 단위의 길이가 같을 때 길이 비교하기

1 영진, 현지, 슬기는 모형으로 모양 만들기를 하였습니다. 가장 길게 연결한 친구의 이름을 써 보세요.

영진

현지

슬기

답 _____

개념 피드백
① 사용한 모형의 수를 각각 세어 봅니다.
② 모형의 수를 비교하여 가장 길게 연결한 친구를 찾습니다.

1-1 정우가 엄지손가락 너비로 각 물건의 길이를 재었습니다. 길이가 가장 짧은 물건을 써 보세요.

스마트폰	볼펜	컵	가위
9번	8번	7번	11번

(   )

1-2 민지가 클립으로 각 물건의 길이를 재었습니다. 길이가 긴 물건부터 차례로 써 보세요.

지우개	젓가락	색연필
3번	5번	4번

(   )

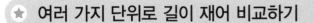

★ **여러 가지 단위로 길이 재어 비교하기**

2 다음과 같은 여러 가지 단위로 칠판의 긴 쪽의 길이를 재었습니다. 잰 횟수가 적은 단위부터 차례로 기호를 써 보세요.

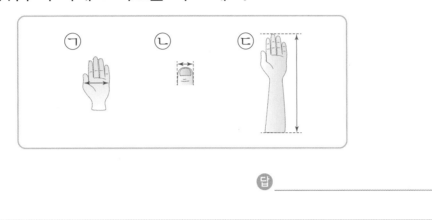

답 _____

개념
피드백 칠판의 긴 쪽의 길이를 잴 때 단위길이가 길수록 잰 횟수가 적습니다.

2-1 다음과 같은 여러 가지 단위로 책상의 긴 쪽의 길이를 재었습니다. 잰 횟수가 많은 단위부터 차례로 기호를 써 보세요.

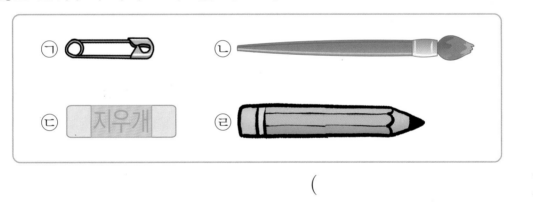

( )

2-2 민수, 지혜, 기연이가 각자의 뼘으로 우산의 길이를 재었습니다. 한 뼘의 길이가 가장 짧은 사람은 누구일까요?

민수의 뼘	지혜의 뼘	기연이의 뼘
4번	6번	3번

( )

⭐ **| cm를 이용하여 길이 구하기**

3 토끼가 당근을 먹으러 굵은 선으로 표시된 길을 따라갑니다. 토끼가 따라간 길은 몇 cm인지 구해 보세요. (단, 가장 작은 사각형의 한 변의 길이는 | cm로 모두 같습니다.)

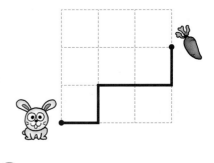

답 _____

> **개념 피드백** 굵은 선으로 표시된 길에 | cm인 변이 몇 개인지 세어 봅니다.

3-1 원숭이가 바나나를 먹으러 굵은 선으로 표시된 길을 따라갑니다. 원숭이가 따라간 길은 몇 cm인지 구해 보세요. (단, 가장 작은 사각형의 한 변의 길이는 | cm로 모두 같습니다.)

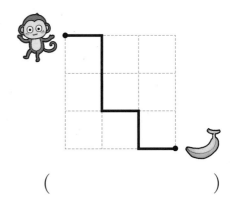

(   )

3-2 ㉮에서 ㉯까지 가는 가장 짧은 길 중 하나가 굵은 선으로 표시되어 있습니다. ㉮에서 ㉯까지 가는 가장 짧은 길은 몇 cm인지 구해 보세요. (단, 가장 작은 사각형의 한 변의 길이는 | cm로 모두 같습니다.)

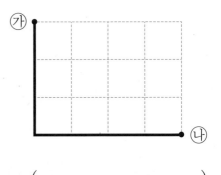

(   )

★ 자를 이용하여 전체 길이 구하기

4 자를 이용하여 사각형의 변의 길이를 재어 네 변의 길이의 합을 구해 보세요.

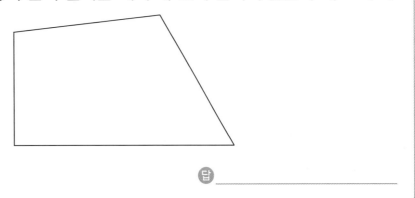

답 _____

개념
피드백 ① 사각형의 네 변의 길이를 각각 자로 재어 봅니다.
② 자로 잰 사각형의 네 변의 길이의 합을 구합니다.

4-1 자를 이용하여 삼각형의 변의 길이를 재어 세 변의 길이의 합을 구해 보세요.

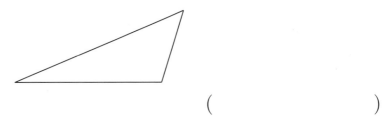

(   )

4-2 자를 이용하여 액자의 변의 길이를 재어 네 변의 길이의 합을 구해 보세요.

(   )

★ 가깝게 어림한 사람 찾기

5 혜미와 정민이는 약 5 cm를 어림하여 다음과 같이 어림한 길이만큼 종이를 잘랐습니다. 5 cm에 더 가깝게 어림한 사람의 이름을 써 보세요.

혜미

정민

답 _____

개념
피드백   ① 어림한 길이와 실제 길이의 차가 작을수록 실제 길이에 더 가깝게 어림한 것입니다.
② 혜미와 정민이가 각각 자른 종이의 길이를 재어 보고 어림한 길이와의 차를 구합니다.

5-1 실제 길이가 10 cm인 볼펜의 길이를 가은이와 혜승이는 다음과 같이 어림하였습니다. 실제 길이에 더 가깝게 어림한 사람의 이름을 써 보세요.

가은	혜승
약 9 cm	약 12 cm

(   )

5-2 나영, 예서, 건희는 약 7 cm를 어림하여 다음과 같이 어림한 길이만큼 종이를 잘랐습니다. 7 cm에 가깝게 어림한 사람부터 차례로 이름을 써 보세요.

나영

예서

건희

(   )

★ **여러 가지 단위로 길이를 잴 때 길이 비교하기**

6 가장 긴 끈을 가지고 있는 친구의 이름을 써 보세요.

> • 보미: 내 끈의 길이는 연필로 **5**번이야.
> • 동호: 내 끈의 길이는 성냥개비로 **5**번이야.
> • 연우: 내 끈의 길이는 리코더로 **5**번이야.

답 _____

개념 피드백 재어 나타낸 수가 같을 때는 단위길이가 가장 긴 것이 전체적인 길이가 가장 깁니다.

6-1 더 짧은 색 테이프를 가지고 있는 친구의 이름을 써 보세요.

> • 주영: 내 색 테이프의 길이는 클립으로 **8**번이야.
> • 수지: 내 색 테이프의 길이는 볼펜으로 **8**번이야.

(   )

6-2 지수, 민재, 영호는 쌓기나무로 탑을 쌓았습니다. 쌓은 탑의 높이가 가장 높은 친구의 이름을 써 보세요.

지수	민재	영호
클립으로 20번	뼘으로 20번	20 cm

(   )

1 교실에 있는 무선 마우스의 길이를 재어 보려고 합니다. 보기 의 물건 중 무선 마우스의 길이는 어느 것으로 재는 것이 더 편리한지 설명해 보세요.

보기

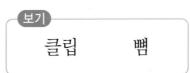

클립   뼘

해결하기 (클립 , 뼘)은 무선 마우스보다 길이가 길기 때문에(클립 , 뼘)으로 재면 길이를 정확하게 재기 어렵습니다.
따라서 무선 마우스의 길이보다 짧은(클립 , 뼘)으로 재는 것이 더 편리합니다.

2 자가 없는 곳에서 칠판의 긴 쪽의 길이를 재어 보려고 합니다. 보기 의 물건 중 칠판의 긴 쪽의 길이는 어느 것으로 재는 것이 더 편리한지 설명해 보세요.

보기

엄지손가락 너비   색연필

해결하기

3 냉장고의 짧은 쪽의 길이를 젓가락으로 재었더니 4번이었습니다. 젓가락의 길이가 12 cm라면 냉장고의 짧은 쪽의 길이는 몇 cm인지 구해 보세요.

✏️ 구하려는 것, 주어진 것에 선을 그어 봅니다.

해결하기

① 냉장고의 짧은 쪽의 길이는 젓가락으로 ☐ 번입니다.

② 젓가락의 길이가 ☐ cm이므로 냉장고의 짧은 쪽의 길이는

☐ + ☐ + ☐ + ☐ = ☐ (cm)입니다.

답 구하기 ☐

4 지아와 경은이가 길이가 7 cm인 연필로 각자 가지고 있는 끈의 길이를 재었습니다. 지아와 경은이가 가지고 있는 끈의 길이는 각각 몇 cm인지 구해 보세요.

지아의 끈	경은이의 끈
4번	6번

✏️ 구하려는 것, 주어진 것에 선을 그어 봅니다.

해결하기

_____

_____

_____

답 구하기 지아: _____

경은: _____

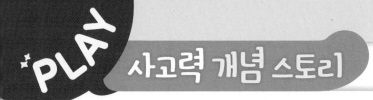
준비물 붙임딱지

고양이가 하고 있는 리본의 색깔과 같은 색깔의 접시에 있는 생선을 먹을 수 있게 선을 긋거나 붙임딱지를 붙여 길을 연결하여 보세요. (단, 주어진 길이가 되도록 길을 연결해야 합니다.)

• 선을 그어 보세요.

• 붙임딱지를 붙여 보세요.

2 cm

2 cm

16 cm

24 cm

20 cm

4 cm

4 cm

16 cm

20 cm

24 cm

준비물 • 붙임딱지

애벌레들은 모두 같은 길이만큼 움직여서 나뭇잎을 먹으러 갈 수 있습니다. 아래 애벌레가 움직인 거리는 모두 몇 cm인지 구하고 다른 애벌레들도 나뭇잎을 먹으러 갈 수 있게 길을 연결해 보세요.

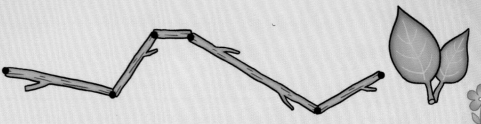

➡ 애벌레가 움직인 거리는 [ ] cm입니다.

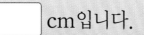

4 cm짜리 나뭇가지만 사용하여 길을 만들어 보세요.

2 cm, 3 cm짜리 나뭇가지를 사용하여 길을 만들어 보세요.

I cm, 3 cm, 4 cm짜리 나뭇가지를 사용하여 길을 만들어 보세요.

1 목수 할아버지 제페토가 나무토막을 깎아 만든 인형 피노키오는 거짓말을 할 때마다 코가 길어집니다. 피노키오의 코의 길이를 자로 재어 보고 피노키오는 거짓말을 몇 번 했는지 구해 보세요.

거짓말을 1번 할 때마다 코가 2 cm씩 길어진단다.

❶ 피노키오는 거짓말을 1번 할 때마다 코가 몇 cm씩 길어질까요?

( )

❷ 피노키오의 길어진 코의 길이를 자로 재면 몇 cm일까요?

( )

❸ 피노키오는 거짓말을 몇 번 했을까요?

( )

2 액자의 긴 쪽과 짧은 쪽의 길이를 각각 길이가 5 cm인 막대로 재었습니다. 액자의 긴 쪽과 짧은 쪽의 길이는 각각 몇 cm인지 구해 보세요.

5 cm

❶ 액자의 긴 쪽의 길이는 막대로 몇 번 잰 길이와 같을까요?

(   )

❷ 액자의 짧은 쪽의 길이는 막대로 몇 번 잰 길이와 같을까요?

(   )

❸ 액자의 긴 쪽과 짧은 쪽의 길이는 각각 몇 cm인지 구해 보세요.

긴 쪽의 길이 (   )

짧은 쪽의 길이 (   )

3 가위의 길이가 10 cm라고 할 때 연필과 크레파스의 길이의 합은 몇 cm인
지 구해 보세요.

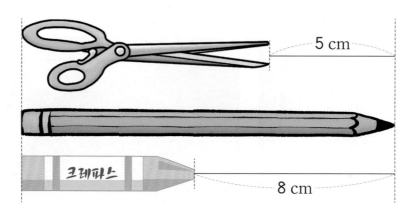

① 연필의 길이는 몇 cm일까요?

( )

② 크레파스의 길이는 몇 cm일까요?

( )

③ 연필과 크레파스의 길이의 합은 몇 cm일까요?

( )

4 길이가 20 cm인 양초가 있습니다. 매일 일정한 길이씩 탄다고 할 때 4일 후 남은 양초의 길이는 몇 cm인지 구해 보세요.

20 cm	18 cm		
	1일 후	2일 후	3일 후

❶ 양초는 하루에 몇 cm씩 탈까요?

(   )

❷ 4일 동안 탄 양초의 길이는 모두 몇 cm일까요?

(   )

❸ 4일 후 남은 양초의 길이는 몇 cm일까요?

(   )

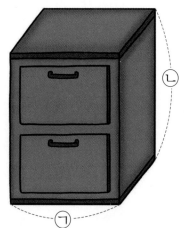

1 문을 통해 오른쪽 사물함을 교실로 옮기려고 합니다. 다음과 같은 세 가지 종류의 문 중 오른쪽 사물함을 옮길 수 있는 문을 찾아 번호를 써 보세요.

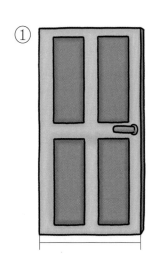
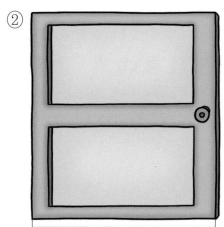
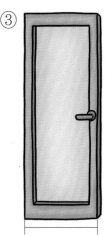

1 사물함의 ㉠과 ㉡의 길이를 각각 자로 재어 보세요.

㉠ (   ), ㉡ (   )

2 문 ①, ②, ③의 짧은 쪽의 길이를 각각 자로 재어 보세요.

① 약 (   ), ② (   ), ③ (   )

3 사물함을 옮길 수 있는 문을 찾아 번호를 써 보세요.

(   )

2 한 칸의 길이가 1 cm인 모눈종이에 색 테이프를 다음과 같이 접어서 놓았습니다. 색 테이프의 전체 길이는 몇 cm인지 구해 보세요.

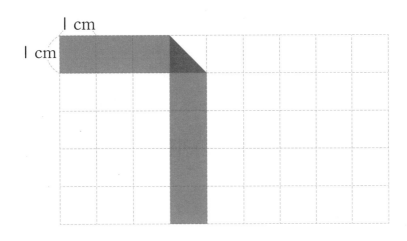

❶ 색 테이프의 겹친 부분의 길이는 몇 cm일까요?

(   )

❷ 모눈종이에 색 테이프의 접힌 부분을 펴서 한 줄로 그려 보세요.

❸ 색 테이프의 전체 길이는 몇 cm일까요?

(   )

3 수정이는 액자의 긴 쪽의 길이를 다음과 같이 지우개, 크레파스, 연필로 재어 보았습니다. 지우개의 길이를 이용하여 연필과 크레파스의 길이의 차는 몇 cm인지 구해 보세요. (단, 같은 물건끼리의 길이는 같습니다.)

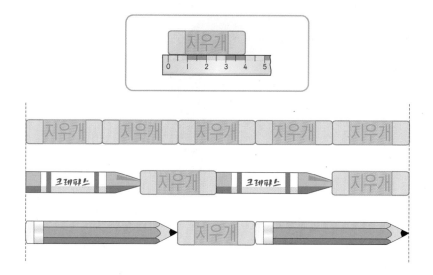

① 지우개 **5**개의 길이는 몇 cm일까요?

(   )

② 연필 **l**자루의 길이는 몇 cm일까요?

(   )

③ 크레파스 **l**개의 길이는 몇 cm일까요?

(   )

④ 연필 **l**자루와 크레파스 **l**개의 길이의 차는 몇 cm일까요?

(   )

4 꽃밭에 벌과 나비가 한 마리씩 있습니다. 벌은 2 cm 거리에 있는 꽃들에서 만 꿀을 모을 수 있고, 나비는 4 cm 거리에 있는 꽃들에서만 꿀을 모을 수 있습니다. 벌과 나비가 꿀을 모을 수 있는 꽃은 모두 몇 송이인지 구해 보세요.

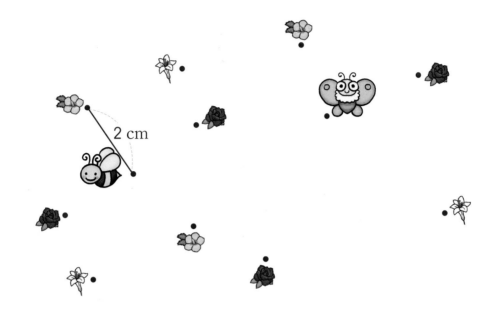

① 벌이 꿀을 모을 수 있는 꽃은 몇 송이일까요?

( )

② 나비가 꿀을 모을 수 있는 꽃은 몇 송이일까요?

( )

③ 벌과 나비가 꿀을 모을 수 있는 꽃은 모두 몇 송이일까요?

( )

평가 영역 ☐개념 이해력 ☑개념 응용력 ☑창의력 ☐문제 해결력

1 토끼가 채소를 가장 빨리 먹을 수 있는 길을 찾고 있습니다. ㉮, ㉯, ㉰ 중 가장 가까운 길을 찾아 기호를 써 보세요.

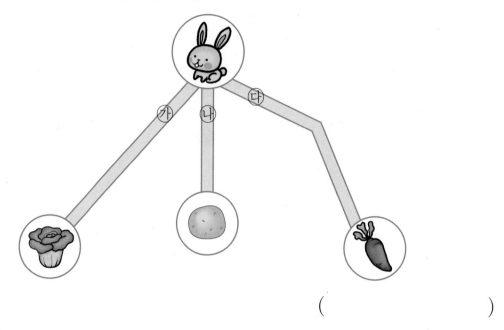

(   )

평가 영역 ☐개념 이해력 ☑개념 응용력 ☑창의력 ☐문제 해결력

2 다영, 승기, 은지가 우물 안의 물을 마시러 갑니다. 각 친구들이 있는 곳에서 우물까지의 거리가 가장 가까운 친구는 누구인지 써 보세요.

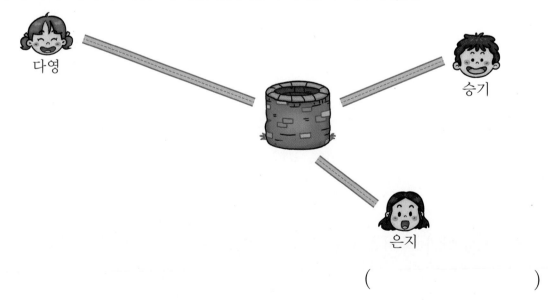

(   )

평가 영역 ☐ 개념 이해력 ☐ 개념 응용력 ☑ 창의력 ☐ 문제 해결력

3 길이가 1 cm, 2 cm, 3 cm인 색 테이프가 있습니다. 이 색 테이프를 여러 번 사용하여 8 cm를 색칠해 보세요.

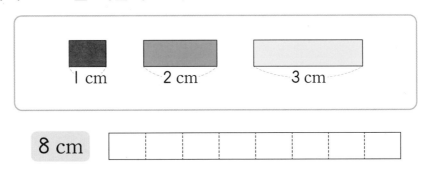

8 cm

4

평가 영역 ☐ 개념 이해력 ☐ 개념 응용력 ☐ 창의력 ☑ 문제 해결력

4 끈 ㉮의 길이는 끈 ㉯의 길이로 3번입니다. 준형이와 윤아가 책상의 짧은 쪽의 길이를 재어 나타낸 것입니다. 준형이와 윤아 중 책상의 짧은 쪽의 길이가 더 긴 책상은 누구의 책상일까요?

준형이의 책상	윤아의 책상
끈 ㉮로 2번	끈 ㉯로 5번

(   )

1 연필의 길이는 엄지손가락의 너비로 몇 번일까요?

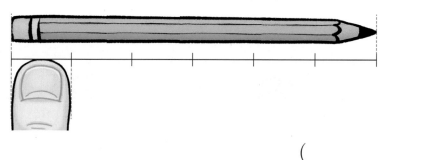

(   )

2 모양과 크기가 같은 구슬을 다음과 같이 붙여 놓았습니다. 길이가 긴 순서대로 기호를 써 보세요.

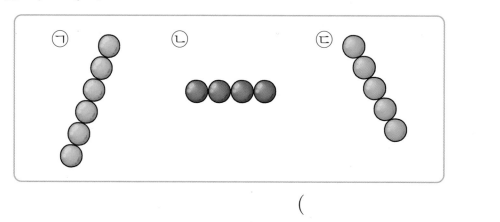

(   )

3 Ⅰ 센티미터를 바르게 쓴 것에 ○표 하세요.

Ⅰcm   Ⅰcm   ⅠCm

(   )   (   )   (   )

4 다음은 몇 cm인지 쓰고 읽어 보세요.

Ⅰcm가 8번

쓰기 (   )

읽기 (   )

5 같은 길이를 찾아 이어 보세요.

7 센티미터	•		•	1 cm가 10번
10 cm	•		•	7 cm
5 cm	•		•	5 센티미터

6 숟가락의 길이는 1 cm로 몇 번일까요?

( )

7 주어진 길이만큼 자를 이용하여 점선을 따라 선을 그어 보세요.

7 cm

8 못의 길이는 몇 cm일까요?

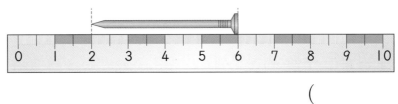

( )

9 도형의 변의 길이를 자로 재어 □ 안에 알맞은 수를 써넣으세요.

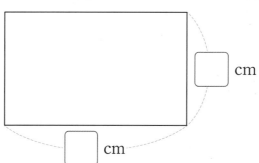

10 칠판의 긴 쪽의 길이를 재어 보려고 합니다. 다음 중 어느 것을 단위로 하여 재는 것이 가장 좋은지 찾아 써 보세요.

클립 엄지손가락 너비 한 뼘

( )

11 물감의 길이를 어림하고 자로 재어 보세요.

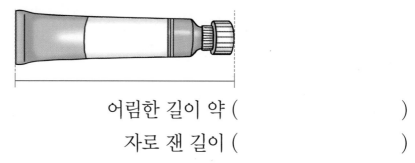

어림한 길이 약 ( )

자로 잰 길이 ( )

12 □ 안에 알맞은 수를 써넣으세요.

9 cm는 1 cm가 □번이고, 1 cm가 13번이면 □cm입니다.

13 가장 긴 끈을 가지고 있는 친구는 누구일까요?

> • 승아: 내 끈의 길이는 지우개로 12번이야.
> • 효진: 내 끈의 길이는 뼘으로 12번이야.
> • 민지: 내 끈의 길이는 빗자루로 12번이야.

(   )

4
주
평가

14 민기는 뼘으로 친구들의 키를 재었습니다. 키가 큰 친구부터 차례대로 이름을 써 보세요.

영호	명철	동현
10번	13번	14번

(   )

15 지우개와 풀의 길이의 합은 몇 cm일까요?

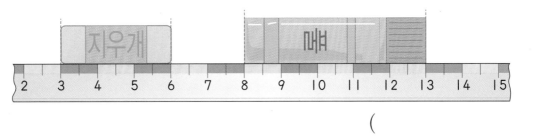

(   )

16 채민, 혜승, 서연이가 각자의 뼘으로 교실 책상의 긴 쪽의 길이를 재어 나타낸 것입니다. 한 뼘의 길이가 가장 긴 친구는 누구일까요?

채민이의 뼘	혜승이의 뼘	서연이의 뼘
6번	7번	5번

(   )

17 동화책의 긴 쪽의 길이는 1 cm인 색 테이프로 17번입니다. 동화책의 긴 쪽의 길이는 몇 cm일까요?

(   )

18 한 칸의 길이가 1 cm인 모눈종이 위에 다음과 같이 굵은 선을 그었습니다. 굵은 선의 길이는 몇 cm일까요?

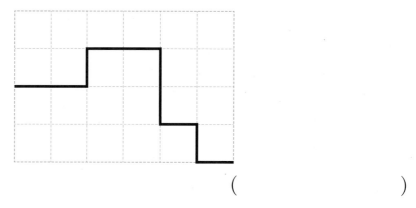

(   )

19 ㉠의 길이가 4 cm이면 ㉡의 길이는 몇 cm일까요?

(   )

20 반창고의 길이를 영수는 약 7 cm라고 어림하였고, 보미는 약 6 cm라고 어림하였습니다. 실제 길이에 더 가깝게 어림한 사람은 누구일까요?

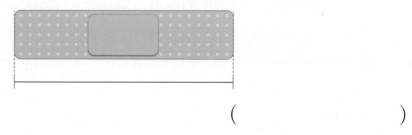

(   )

특강 창의·융합 사고력

1 강아지를 키우는 친구들이 강아지와 함께 산책을 하러 공원에 왔습니다. 강아지 리드줄의 길이를 비교할 때 같은 길이의 리드줄을 가진 친구를 모두 써 보세요. └──→ 강아지를 데리고 움직일 때 연결하는 줄

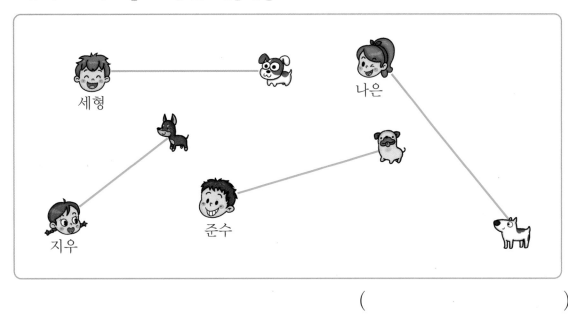

(   )

2 병아리가 사각형의 각 변을 따라 엄마 닭을 찾아가려고 합니다. 그림에서 가장 작은 사각형의 네 변의 길이는 모두 같고 한 변의 길이는 1 cm입니다. 병아리가 엄마 닭이 있는 곳까지 가는 가장 가까운 길은 몇 cm일까요?

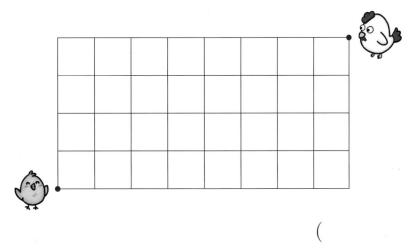

(   )

Memo

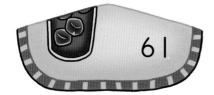 61

 70

 73

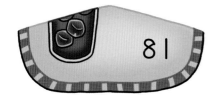 81

 90

 100

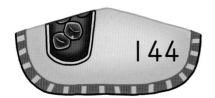 144

 185

 23

 41

 53

 57

 65

 104

 132

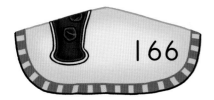 166

 42

 43

 51

 54

 68

 136

 162

 187

53쪽

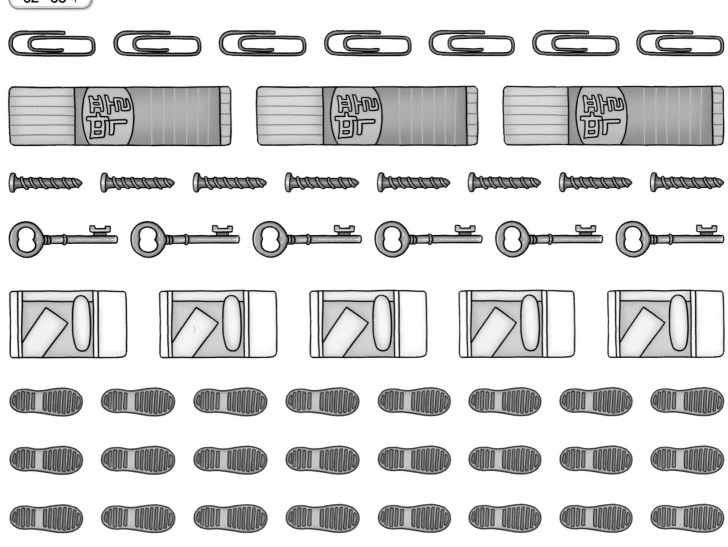

62~63쪽

64~65쪽

| 1 cm | 1 cm | 1 cm | 1 cm | 1 cm | 1 cm | 1 cm | 1 cm | 1 cm | 1 cm | 1 cm |
| 1 cm | 1 cm | 1 cm | 1 cm | 1 cm | 1 cm | 1 cm | 1 cm | 1 cm | 1 cm | 1 cm |

| 2 cm | 2 cm | 2 cm | 2 cm | 2 cm | 2 cm | 2 cm |

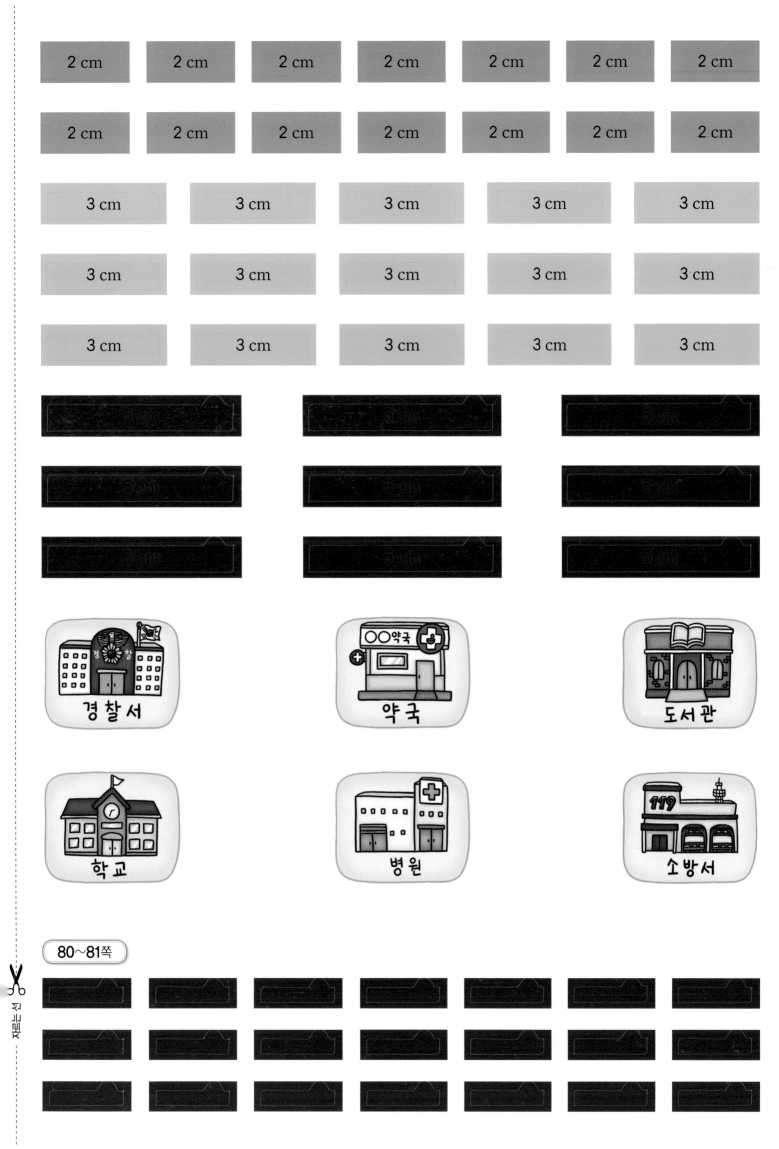

| 2 cm | 2 cm | 2 cm | 2 cm | 2 cm | 2 cm | 2 cm |

| 2 cm | 2 cm | 2 cm | 2 cm | 2 cm | 2 cm | 2 cm |

| 3 cm | 3 cm | 3 cm | 3 cm | 3 cm |

| 3 cm | 3 cm | 3 cm | 3 cm | 3 cm |

| 3 cm | 3 cm | 3 cm | 3 cm | 3 cm |

| 5 cm | 5 cm | 5 cm |

| 5 cm | 5 cm | 5 cm |

| 5 cm | 5 cm | 5 cm |

경찰서

약국

도서관

학교

병원

소방서

80~81쪽

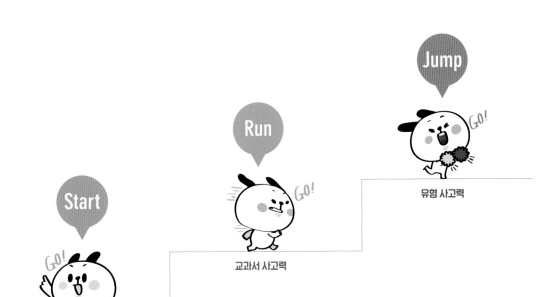

Start

교과서 개념

Run

교과서 사고력

Jump

유형 사고력

#난이도별
#천재되는_수학교재

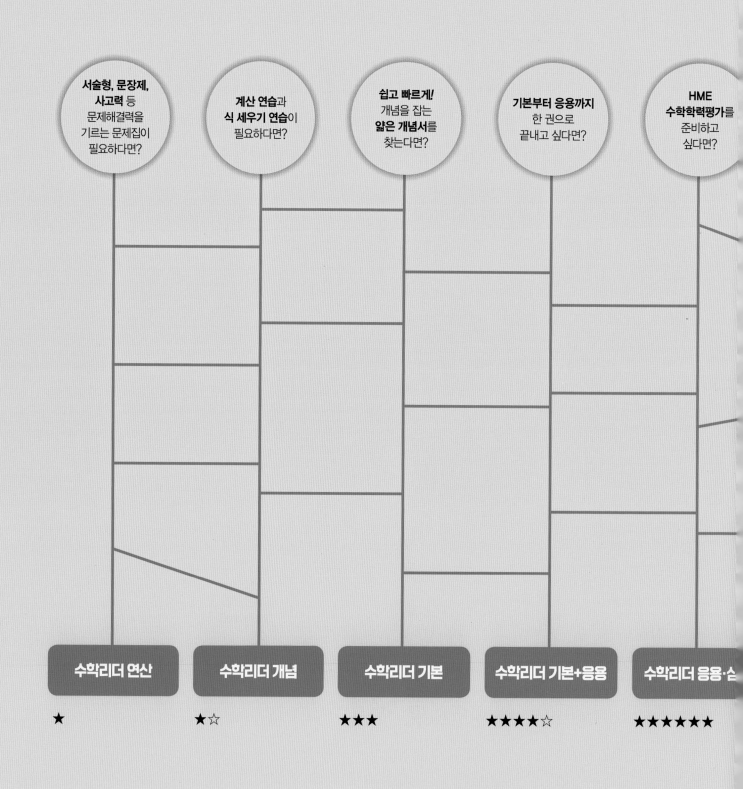

서술형, 문장제,
사고력 등
문제해결력을
기르는 문제집이
필요하다면?

계산 연습과
식 세우기 연습이
필요하다면?

쉽고 빠르게!
개념을 잡는
얇은 개념서를
찾는다면?

기본부터 응용까지
한 권으로
끝내고 싶다면?

HME
수학학력평가를
준비하고
싶다면?

수학리더 연산

수학리더 개념

수학리더 기본

수학리더 기본+응용

수학리더 응용·심

★

★☆

★★★

★★★★☆

★★★★★★

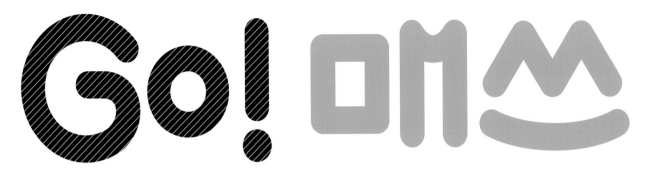

교과서 GO! 사고력 GO!

사고력 중심

Run-B

교과서 사고력

정답과 풀이   수학 2-1

정답과 해설
포인트 2가지

▶ 선생님이나 학부모가 쉽게 문제와 풀이를 한눈에 볼 수 있어요.

▶ 자세한 활동 수업에 대한 팁이 가득하게 들어 있어요.

③ 덧셈과 뺄셈

받아올림과 받아내림이란?

고양이들이 좋아하는 물고기가 어항 안에 28마리 있습니다. 아빠 고양이가 물고기 5마리를 더 잡아와서 어항 안에 넣었다면 어항 안의 물고기는 모두 몇 마리가 될까요?

🐾 물고기 28마리와 5마리를 더해 볼까요?

방법1 수 모형

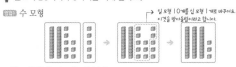

→ 일 모형 10개를 십 모형 1개로 바꾸어요. 이것을 받아올림이라고 합니다.

• 일 모형의 수: 8+5=**1**3(개) ⟶ 28+5=**33**(마리)
• 십 모형의 수: **1**+2=3(개)

방법2 세로셈

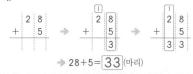

⟶ 28+5=**33**(마리)

물고기 33마리 중 7마리를 남매 고양이가 먹었습니다. 어항 안에 남아 있는 물고기는 몇 마리일까요?

🐾 물고기 33마리 중 7마리를 빼 볼까요?

방법1 수 모형

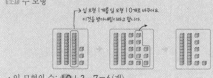

→ 십 모형 1개를 일 모형 10개로 바꾸어요. 이것을 받아내림이라고 합니다.

• 일 모형의 수: **10**+3-7=6(개) ⟶ 33-7=**26**(마리)
• 십 모형의 수: 3-**1**=2(개)

방법2 세로셈

⟶ 33-7=**26**(마리)

---

① 단계 교과서 개념 잡기

개념 ① 받아올림이 있는 (두 자리 수)+(한 자리 수)

⟶ 일의 자리 수끼리의 합이 10이거나 10보다 크면
십의 자리로 1을 받아올림합니다.

개념 ② 받아올림이 있는 (두 자리 수)+(두 자리 수)

⟶ 일의 자리 수끼리의 합이 10이거나 10보다 크면
십의 자리로 1을 받아올림합니다.

⟶ 십의 자리 수끼리의 합이 10이거나 10보다 크면
백의 자리로 1을 받아올림합니다.

⟶ 일의 자리, 십의 자리 수끼리의 합이 10이거나 10보다 크면
십의 자리, 백의 자리로 1을 받아올림합니다.

개념 확인 문제

1 수 모형을 보고 □ 안에 알맞은 수를 써넣으세요.

(1)

27+8=**35**

(2)

45+9=**54**

2-1 □ 안에 알맞은 수를 써넣으세요.

(1)
```
    5 3
+   1 8
    7 1
```

(2)
```
    4 6
+   3 4
    8 0
```

(3)
```
    2 9
+   3 8
    6 7
```

2-2 덧셈을 해 보세요.

(1)
```
    7 2
+   3 3
  1 0 5
```

(2)
```
    4 6
+   9 1
  1 3 7
```

(3)
```
    8 5
+   7 2
  1 5 7
```

2-3 빈칸에 알맞은 수를 써넣으세요.

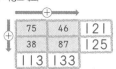

	+	→
75	46	1 2 1
38	87	1 2 5
1 1 3	1 3 3	

✧ 75+46=121, 38+87=125,
75+38=113, 46+87=133

1 교과서 개념 잡기

개념 3 받아내림이 있는 (두 자리 수)−(한 자리 수)

$$
\begin{array}{r} 3\,2 \\ -\ \ 8 \\ \hline \end{array}
\Rightarrow
\begin{array}{r} \overset{2}{3}\,\overset{10}{2} \\ -\ \ \ 8 \\ \hline 4 \end{array}
\Rightarrow
\begin{array}{r} \overset{2}{3}\,\overset{10}{2} \\ -\ \ \ 8 \\ \hline 4 \end{array}
\Rightarrow
\begin{array}{r} \overset{2}{3}\,\overset{10}{2} \\ -\ \ \ 8 \\ \hline 2\,4 \end{array}
$$

→ 일의 자리 수끼리 뺄 수 없으면 십의 자리에서 10을 받아내림합니다.

개념 4 받아내림이 있는 (몇십)−(몇십몇)

$$
\begin{array}{r} 6\,0 \\ -2\,3 \\ \hline \end{array}
\Rightarrow
\begin{array}{r} \overset{5}{6}\,\overset{10}{0} \\ -2\,3 \\ \hline 7 \end{array}
\Rightarrow
\begin{array}{r} \overset{5}{6}\,\overset{10}{0} \\ -2\,3 \\ \hline 7 \end{array}
\Rightarrow
\begin{array}{r} \overset{5}{6}\,\overset{10}{0} \\ -2\,3 \\ \hline 3\,7 \end{array}
$$

→ 일의 자리 수끼리 뺄 수 없으면 십의 자리에서 10을 받아내림합니다.

개념 5 받아내림이 있는 (두 자리 수)−(두 자리 수)

$$
\begin{array}{r} 5\,4 \\ -2\,9 \\ \hline \end{array}
\Rightarrow
\begin{array}{r} \overset{4}{5}\,\overset{10}{4} \\ -2\,9 \\ \hline 5 \end{array}
\Rightarrow
\begin{array}{r} \overset{4}{5}\,\overset{10}{4} \\ -2\,9 \\ \hline 5 \end{array}
\Rightarrow
\begin{array}{r} \overset{4}{5}\,\overset{10}{4} \\ -2\,9 \\ \hline 2\,5 \end{array}
$$

→ 일의 자리 수끼리 뺄 수 없으면 십의 자리에서 10을 받아내림합니다.

8 · Run- 2–1

개념 확인 문제

정답과 풀이 p.2

3-1 수 모형을 보고 □ 안에 알맞은 수를 써넣으세요.

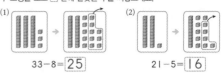

(1) $33-8=\boxed{25}$

(2) $21-5=\boxed{16}$

3-2 □ 안에 알맞은 수를 써넣으세요.

(1)
$$
\begin{array}{r} \overset{1}{2}\,\overset{10}{1} \\ -\ \ 6 \\ \hline 1\,5 \end{array}
$$

(2)
$$
\begin{array}{r} \overset{3}{4}\,\overset{10}{6} \\ -\ \ 9 \\ \hline 3\,7 \end{array}
$$

(3)
$$
\begin{array}{r} \overset{4}{5}\,\overset{10}{3} \\ -\ \ 7 \\ \hline 4\,6 \end{array}
$$

4 뺄셈을 해 보세요.

(1)
$$
\begin{array}{r} \overset{2}{3}\,\overset{10}{0} \\ -1\,5 \\ \hline 1\,5 \end{array}
$$

(2)
$$
\begin{array}{r} \overset{4}{5}\,\overset{10}{0} \\ -2\,4 \\ \hline 2\,6 \end{array}
$$

(3)
$$
\begin{array}{r} \overset{6}{7}\,\overset{10}{0} \\ -3\,8 \\ \hline 3\,2 \end{array}
$$

5 빈칸에 알맞은 수를 써넣으세요.

−→		
82	43	**39**
56	29	**27**
26	**14**	

❖ 82−43=39, 56−29=27,
82−56=26, 43−29=14

3. 덧셈과 뺄셈 · 9

---

1 교과서 개념 잡기

개념 6 35+27을 여러 가지 방법으로 계산하기

방법1 35에 20을 먼저 더하고 7을 더하기
$35+27=35+20+7$
$\quad\quad=55+7=62$

방법2 30과 20을 먼저 더하고 5와 7을 더하기
$35+27=30+20+5+7$
$\quad\quad=50+12=62$

방법3 35에 5를 먼저 더하고 22를 더하기
$35+27=35+5+22$
$\quad\quad=40+22=62$

방법4 35에 25를 먼저 더하고 2를 더하기
$35+27=35+25+2$
$\quad\quad=60+2=62$

방법5 35에 7을 먼저 더하고 20을 더하기
$35+27=35+7+20$
$\quad\quad=42+20=62$

방법6 40에 27을 더하고 5를 빼기
$35+27=40+27-5$
$\quad\quad=67-5=62$

개념 7 45−17을 여러 가지 방법으로 계산하기

방법1 45에서 10을 먼저 빼고 7을 더 빼기
$45-17=45-10-7$
$\quad\quad=35-7=28$

방법2 45에서 15를 먼저 빼고 2를 더 빼기
$45-17=45-15-2$
$\quad\quad=30-2=28$

방법3 45에서 5를 먼저 빼고 12를 더 빼기
$45-17=45-5-12$
$\quad\quad=40-12=28$

방법4 40에서 17을 빼고 5를 더하기
$45-17=40-17+5$
$\quad\quad=23+5=28$

10 · Run- 2–1

개념 확인 문제

정답과 풀이 p.2

6 48+16을 여러 가지 방법으로 계산하려고 합니다. □ 안에 알맞은 수를 써넣으세요.

(1) **방법1** 48에 $\boxed{10}$ 을/를 먼저 더하고 $\boxed{6}$ 을/를 더합니다.
$\Rightarrow 48+16=48+10+\boxed{6}$
$\quad\quad\quad=58+\boxed{6}=\boxed{64}$

(2) **방법2** 48에 $\boxed{2}$ 을/를 먼저 더하고 $\boxed{14}$ 을/를 더합니다.
$\Rightarrow 48+16=48+2+\boxed{14}$
$\quad\quad\quad=50+\boxed{14}=\boxed{64}$

(3) **방법3** $\boxed{50}$ 에 16을 더하고 $\boxed{2}$ 을/를 뺍니다.
$\Rightarrow 48+16=50+16-\boxed{2}$
$\quad\quad\quad=66-\boxed{2}=\boxed{64}$

7 52−29를 여러 가지 방법으로 계산하려고 합니다. □ 안에 알맞은 수를 써넣으세요.

(1) **방법1** 52에서 $\boxed{22}$ 을/를 먼저 빼고 $\boxed{7}$ 을/를 더 뺍니다.
$\Rightarrow 52-29=52-22-\boxed{7}$
$\quad\quad\quad=30-\boxed{7}=\boxed{23}$

(2) **방법2** 30에서 29를 빼고 $\boxed{22}$ 을/를 더합니다.
$\Rightarrow 52-29=30-29+\boxed{22}$
$\quad\quad\quad=1+\boxed{22}=\boxed{23}$

(3) **방법3** 52에서 30을 빼고 $\boxed{1}$ 을/를 더합니다.
$\Rightarrow 52-29=52-30+\boxed{1}$
$\quad\quad\quad=22+\boxed{1}=\boxed{23}$

3. 덧셈과 뺄셈 · 11

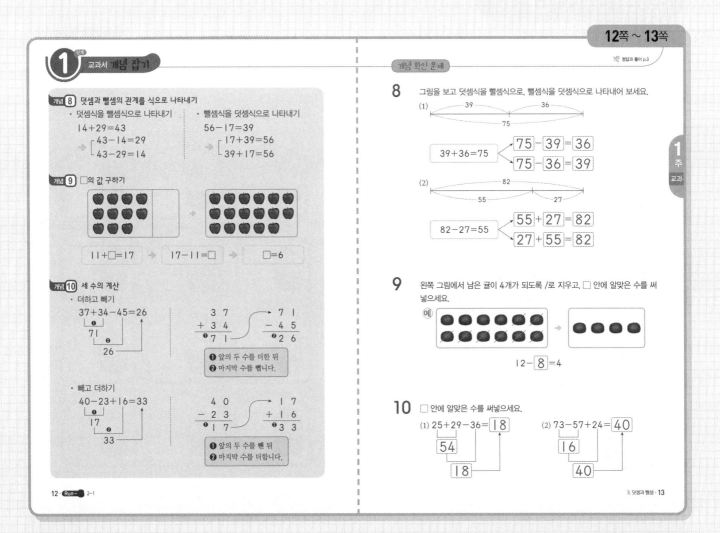

PLAY 교과서 개념 스토리 음료수 완성하기

커피숍에 주문이 많이 들어왔습니다. 주문이 들어온 음료수들을 붙임딱지를 붙여 완성해 보세요.

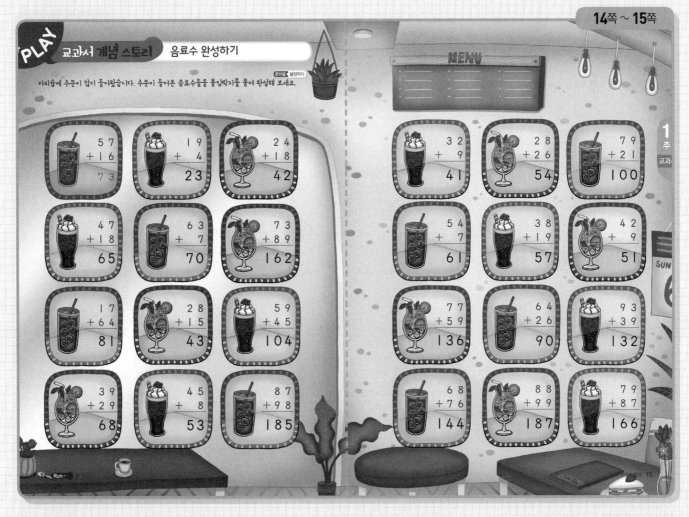

PLAY 교과서 개념 스토리   컵케이크 완성하기

음료수와 함께 먹을 컵케이크도 주문이 많이 들어왔습니다. 주문이 들어 온 컵케이크들을 붙임딱지를 붙여 완성해 보세요.

② 교과서 개념 다지기

정답과 풀이 p.4

개념1 받아올림이 있는 덧셈 (1)

01 아래 덧셈식에서 ①은 실제로 얼마를 나타낼까요?

```
    ①
    2 8
  + 3 5
  ─────
    6 3
```

(10)

❖ ①은 일의 자리에서 10을 십의 자리로 받아올림한 수이므로 10을 나타냅니다.

02 계산 결과를 찾아 이어 보세요.

| 44+26 | 87+6 | 16+39 |

| 93 | 70 | 55 |

❖ 44+26=70, 87+6=93, 16+39=55

03 연못 안에 오리가 17마리 있습니다. 연못 밖에는 오리가 9마리 있습니다. 오리는 모두 몇 마리일까요?

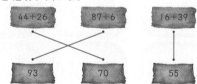

식 17 + 9 = 26

답 26마리

❖ (오리 수)=(연못 안에 있는 오리 수)+(연못 밖에 있는 오리 수)
=17+9=26(마리)

개념2 받아올림이 있는 덧셈 (2)

04 계산에서 잘못된 곳을 찾아 바르게 고쳐 계산해 보세요.

```
    6 9            6 9
  + 3 6    →     + 3 6
  ─────         ───────
    9 5          1 0 5
```

❖ 같은 자리 수끼리의 합이 10이거나 10보다 크면 10을 바로 윗자리로 받아올림합니다.

05 계산 결과가 큰 순서대로 ◯ 안에 1, 2, 3을 써넣으세요.

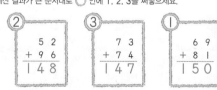

```
②              ③              ①
   5 2            7 3            6 9
 + 9 6          + 7 4          + 8 1
 ─────          ─────          ─────
 1 4 8          1 4 7          1 5 0
```

❖ 52+96=148, 73+74=147, 69+81=150
이므로 150>148>147입니다.

06 세 수 중에서 가장 큰 수와 가장 작은 수의 합을 구해 보세요.

```
89   27   65
```

식 89+27=116

답 116

❖ 89>65>27이므로 가장 큰 수는 89, 가장 작은 수는 27입니다.
➔ 89+27=116

 **② 단계 교과서 개념 다지기**

정답과 풀이 p.5

개념3 받아내림이 있는 뺄셈 (1)

07 뺄셈을 해 보세요.

(1)
$$\begin{array}{r} \overset{2}{\cancel{3}}\overset{10}{1} \\ -7 \\ \hline 2\ 4 \end{array}$$

(2)
$$\begin{array}{r} \overset{4}{\cancel{5}}\overset{10}{0} \\ -8 \\ \hline 4\ 2 \end{array}$$

(3)
$$\begin{array}{r} \overset{5}{\cancel{6}}\overset{10}{0} \\ -3\ 6 \\ \hline 2\ 4 \end{array}$$

08 빈 곳에 두 수의 차를 써넣으세요.

(1) 80 | 53
27

(2) 73 | 5
68

✧ (1) 80−53=27 (2) 73−5=68

09 계산 결과가 다른 하나를 찾아 기호를 써 보세요.

| ㉠ 42−9 | ㉡ 70−37 | ㉢ 51−28 |

(㉢)

✧ ㉠ 42−9=33 ㉡ 70−37=33
㉢ 51−28=23

10 사탕이 40개 있었습니다. 이 중에서 친구들에게 14개를 주었습니다. 남아 있는 사탕은 몇 개일까요?

식 [40]−[14]=[26]

답 26개

개념4 받아내림이 있는 뺄셈 (2)

11 아래 뺄셈식에서 ⑤가 실제로 나타내는 수는 얼마일까요?

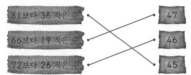

$$\begin{array}{r} \overset{\boxed{5}}{\cancel{6}}\overset{10}{4} \\ -2\ 9 \\ \hline 3\ 5 \end{array}$$

(50)

✧ ⑤는 일의 자리로 10을 받아내림하고 남은 십의 자리 숫자 이므로 50을 나타냅니다.

12 같은 것끼리 이어 보세요.

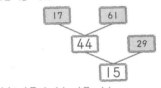

81보다 36 작은 수		47
66보다 19 작은 수		46
72보다 26 작은 수		45

✧ 81−36=45, 66−19=47, 72−26=46

13 빈칸에 들어갈 수는 선으로 연결된 위에 있는 두 수의 차입니다. 빈칸에 알맞은 수를 써넣으세요.

17   61
44   29
15

✧ ·61>17 ➡ 61−17=44
·44>29 ➡ 44−29=15

---

② 단계 교과서 개념 다지기

정답과 풀이 p.5

개념5 여러 가지 방법으로 덧셈·뺄셈하기

14 49+35를 보기와 다른 2가지 방법으로 계산해 보세요.

보기
49에 1을 먼저 더해서 계산하기
➡ 49+35=49+1+34
=50+34=84

정답1
49에 30을 먼저 더해서 계산하기
➡ 49+35
=49+30+5
=79+5
=84

정답2
50에 35를 더해서 계산하기
➡ 49+35
=50+35−1
=85−1
=84

15 62−45를 여러 가지 방법으로 계산해 보세요.

방법1 62에서 40을 먼저 빼서 계산하기

62−45=62−40−5
=22−5=17

방법2 62에서 50을 빼서 계산하기

62−45=62−50+5
=12+5=17

방법3 일의 자리 수를 2로 같게 하여 계산하기

예 62−45=62−42−3
=20−3=17

(또는 62−45=62−32−13
=30−13=17 등)

개념6 덧셈과 뺄셈의 관계를 식으로 나타내기

16 뺄셈식을 덧셈식으로 바르게 나타낸 것을 모두 찾아 기호를 써 보세요.

72−35=37

| ㉠ 37+35=73 | ㉡ 35+37=72 |
| ㉢ 37+35=72 | ㉣ 72+37=109 |

(㉡, ㉢)

✧ 72−35=37 〈 37+35=72
35+37=72

17 □ 안에 알맞은 수를 써넣으세요.

(1) 46−17=[29] ➡ 17+[29]=46
(2) 80−[42]=38 ➡ 38+[42]=80

✧ (1) 46−17=29 ➡ 17+29=46
(2) 80−42=38 ➡ 38+42=80

18 세 수를 이용하여 덧셈식을 완성하고, 뺄셈식으로 나타내어 보세요.

19
36 55

예 [36]+[19]=[55] ➡ [55−19=36
55−36=19]

✧ 36과 19의 합은 55이므로 만들 수 있는 덧셈식은
19+36=55 또는 36+19=55입니다.

36+19=55 〈 55−19=36
55−36=19

③ 교과서 **실력 다지기**

정답과 풀이 p.6

★ 세 수의 계산

1 과일 가게에 오렌지가 56개 있었습니다. 오늘 하루 동안 오렌지를 19개 팔고 38개를 더 들여왔습니다. 과일 가게에 남아 있는 오렌지는 몇 개일까요?

답 ____75개____

❖ 56−19+38=37+38=75(개)

개념 리드백 · 세 수의 계산
앞에서부터 두 수씩 차례로 계산합니다.

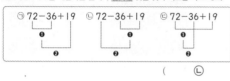

1-1 72−36+19를 계산하는 순서가 잘못된 것을 찾아 기호를 써 보세요.

(____ㄴ____)

1-2 □ 안에 알맞은 수를 써넣으세요.

❖ □=43+49−25=92−25=67

★ 바르게 계산한 값 구하기

2 54에 어떤 수를 더해야 할 것을 잘못하여 뺐더니 15가 되었습니다. 바르게 계산하면 얼마인지 구해 보세요.

① 어떤 수를 □라 하여 잘못 계산한 식을 쓰고 □의 값을 구해 보세요.

❖ 54−□=15 ➡ □+15=54.
54−15=□, □=39

54−□=15

답 ____39____

② 바르게 계산한 값을 구해 보세요.

식 ____54+39=93____

답 ____93____

개념 피드백 · 덧셈과 뺄셈의 관계

2-1 어떤 수에 26을 더해야 할 것을 잘못하여 뺐더니 29가 되었습니다. 바르게 계산하면 얼마일까요?

(____81____)

❖ 어떤 수를 □라 하면 □−26=29이므로
26+29=□, □=55입니다.
따라서 바르게 계산하면 55+26=81입니다.

2-2 어떤 수에서 28을 빼야 할 것을 잘못하여 더했더니 90이 되었습니다. 바르게 계산하면 얼마일까요?

(____34____)

❖ 어떤 수를 □라 하면 □+28=90이므로
90−28=□, □=62입니다.
따라서 바르게 계산하면 62−28=34입니다.

③ 교과서 **실력 다지기**

정답과 풀이 p.6

★ 덧셈식 또는 뺄셈식 완성하기

3 □ 안에 알맞은 수를 써넣으세요.

(1)
```
  5 [3]
+ 2  9
─────
  8  2
```
(2)
```
  [7] 0
−  2  5
─────
  4  5
```

개념 피드백 · 받아올림이 있는 덧셈과 받아내림이 있는 뺄셈

❖ (1) □+9=12 ➡ □=3
(2) □−1−2=4 ➡ □=7

3-1 □ 안에 알맞은 수를 써넣으세요.

(1)
```
  [4] 9
+ 3  6
─────
  8  5
```
(2)
```
   7 [2]
+ [5] 4
─────
 1 2 6
```

❖ (1) 1+□+3=8 ➡ □=4
(2) · 일의 자리 계산: □+4=6, 6−4=□ ➡ □=2
· 십의 자리 계산: 7+□=12, 12−7=□ ➡ □=5

3-2 □ 안에 알맞은 수를 써넣으세요.

(1)
```
  [6] 2
− 3  8
─────
  2  4
```
(2)
```
  6 [6]
− [1] 9
─────
  4  7
```

❖ (1) □−1−3=2 ➡ □=6
(2) · 일의 자리 계산: 10+□−9=7 ➡ □=6
· 십의 자리 계산: 6−1−□=4 ➡ □=1

★ □ 안의 수 구하기

4 20부터 29까지의 수 중 □ 안에 들어갈 수 있는 수를 모두 구해 보세요.

56+□>83

답 ____28, 29____

개념 피드백 · 덧셈과 뺄셈의 관계 이용하기

❖ 56+□=83, 83−56=□ ➡ □=27
□ 안에 들어갈 수 있는 수는 27보다 큰 28, 29입니다.

4-1 10부터 19까지의 수 중 □ 안에 들어갈 수 있는 수를 모두 구해 보세요.

48+□>65

(____18, 19____)

❖ 48+□=65, 65−48=□ ➡ □=17
□ 안에 들어갈 수 있는 수는 17보다 큰 18, 19입니다

4-2 30부터 39까지의 수 중 □ 안에 들어갈 수 있는 수를 모두 구해 보세요.

72−□>37

(____30, 31, 32, 33, 34____)

❖ 72−□=37, □+37=72, 72−37=□ ➡ □=35
□ 안에 들어갈 수 있는 수는 35보다 작은 30, 31, 32, 33, 34입니다.

3 교과서 **실력 다지기**

정답과 풀이 p.7

★ 수 카드로 만든 수의 합 또는 차

5 수 카드 4장 중 2장을 골라 한 번씩 사용하여 두 자리 수를 만들려고 합니다. 만들 수 있는 가장 큰 수와 가장 작은 수의 합을 구해 보세요.

$$\boxed{7}\;\boxed{8}\;\boxed{1}\;\boxed{4}$$

수의 크기를 비교하면 $\boxed{8} > \boxed{7} > \boxed{4} > \boxed{1}$ 이므로 만들 수 있는

가장 큰 두 자리 수는 $\boxed{87}$, 가장 작은 두 자리 수는 $\boxed{14}$ 입니다.

➡ $\boxed{87} + \boxed{14} = \boxed{101}$

답 __101__

개념 피드백 • 만들 수 있는 두 자리 수 중 가장 큰 수와 가장 작은 수

■, ▲, ●, ★이 한 자리 수이고 ■>▲>●>★일 때

가장 큰 두 자리 수: ■▲, 가장 작은 두 자리 수: ★● (단, ★이 0이면 ●★)입니다.

÷ 87+14=101

5-1 수 카드 3장 중 2장을 골라 한 번씩 사용하여 두 자리 수를 만들려고 합니다. 만들 수 있는 가장 작은 수와 72의 차를 구해 보세요.

$$\boxed{6}\;\boxed{2}\;\boxed{9}$$

(__46__)

÷ 수의 크기를 비교하면 9>6>2이므로 만들 수 있는 가장 작은 수는 26입니다. 따라서 72-26=46입니다.

5-2 수 카드 4장 중 2장을 골라 한 번씩 사용하여 두 자리 수를 만들려고 합니다. 만들 수 있는 가장 큰 수와 가장 작은 수의 합과 차를 각각 구해 보세요.

$$\boxed{3}\;\boxed{8}\;\boxed{5}\;\boxed{0}$$

합(__115__), 차(__55__)

÷ 수의 크기를 비교하면 8>5>3>0이므로 만들 수 있는 가장 큰 수는 85이고, 가장 작은 수는 30입니다.
따라서 합은 85+30=115, 차는 85-30=55입니다.

28 · Run- 2-1

★ 계산 결과를 비교하여 값 구하기

6 지우와 성훈이는 수 카드를 2장씩 가지고 있습니다. 지우가 가진 카드에 적힌 두 수의 합은 성훈이가 가진 카드에 적힌 두 수의 합과 같습니다. 성훈이가 가지고 있는 다른 수 카드에 적힌 수는 얼마인지 구해 보세요.

답 __28__

개념 카드북 • 덧셈과 뺄셈의 관계

■+▲=● < ●-■=▲
●-▲=■

★-♥=◆ < ◆+♥=★
♥+◆=★

÷ 47+39=86 ➡ 58+□=86, 86-58=□, □=28

6-1 저울의 양쪽에 있는 두 수의 합이 같습니다. □ 안에 알맞은 수를 구해 보세요.

(__28__)

÷ · 17+39=56
· 28+□=56, 56-28=□ ➡ □=28

6-2 같은 모양 안에 적힌 수의 합은 같습니다. ㉠에 알맞은 수를 구해 보세요.

(__26__)

÷ · 원 안에 적힌 수: 73, 17 ➡ 73+17=90
· 삼각형 안에 적힌 수: ㉠, 64
➡ ㉠+64=90, 90-64=㉠, ㉠=26

3. 덧셈과 뺄셈 · 29

Test 교과서 **서술형 연습**

정답과 풀이 p.7

1 윤아는① 연필을 3타 가지고 있었습니다. 이 중②17자루를 동생에게 주고 9자루를 더 샀습니다. 윤아가 가지고 있는 연필은 모두 몇 자루인지 구해 보세요.
(단, 연필 1타는 12자루입니다.)

✏ 구하려는 것, 주어진 것에 선을 그어 봅니다.

해결하기 ① 연필 3타의 수 구하기

(연필 3타의 수)=$\boxed{12}+\boxed{12}+\boxed{12}=\boxed{36}$(자루)

② 동생에게 주고 남은 연필의 수 구하기

$\boxed{36}-\boxed{17}=\boxed{19}$(자루)

③ 윤아가 가지고 있는 연필의 수 구하기

$\boxed{19}+\boxed{9}=\boxed{28}$(자루)

답 구하기 __28자루__

2 버스에 27명의 사람이 타고 있었습니다. 첫 번째 정류장에서 9명이 내리고 두 번째 정류장에서 19명이 탔습니다. 지금 버스에 타고 있는 사람은 몇 명인지 구해 보세요. **주어진 것** **구하려는 것**

✏ 구하려는 것, 주어진 것에 선을 그어 봅니다.

해결하기 예 (지금 버스에 타고 있는 사람 수)
=(처음에 타고 있던 사람 수)-(첫 번째 정류장에서 내린 사람 수)+(두 번째 정류장에서 탄 사람 수)
=27-9+19 답 구하기 __37명__
=18+19=37(명)

30 · Run- 2-1

---

3 책꽂이에 책이 33권 꽂혀 있었습니다. 이 중 몇 권을 꺼냈더니 15권이 남았습니다. 책꽂이에서 꺼낸 책은 몇 권인지 □를 사용하여 식을 만들고 답을 구해 보세요.①②

✏ 구하려는 것, 주어진 것에 선을 그어 봅니다.

해결하기 ① 책꽂이에서 꺼낸 책의 수를 □라 하여 뺄셈식을 만듭니다.

식 33-□=15

② 덧셈과 뺄셈의 관계를 이용하여 □를 구합니다.

33-□=15 ➡ □+15=33,
33-15=□, □=18

③ 따라서 책꽂이에서 꺼낸 책은 18권입니다.

답 구하기 __18권__

4 구슬이 40개 있었습니다. 그중 목걸이를 만드는 데 몇 개를 사용했더니 7개가 남았습니다. 목걸이를 만드는 데 사용한 구슬은 몇 개인지 □를 사용하여 식을 만들고 답을 구해 보세요. **주어진 것** **구하려는 것**

✏ 구하려는 것, 주어진 것에 선을 그어 봅니다.

해결하기 예 목걸이를 만드는 데 사용한 구슬의 수를 □라 하여 뺄셈식을 만듭니다.

40-□=7 ➡ □+7=40,
40-7=□, □=33

따라서 목걸이를 만드는 데 사용한 구슬은 33개입니다. 답 구하기 __33개__

3. 덧셈과 뺄셈 · 31

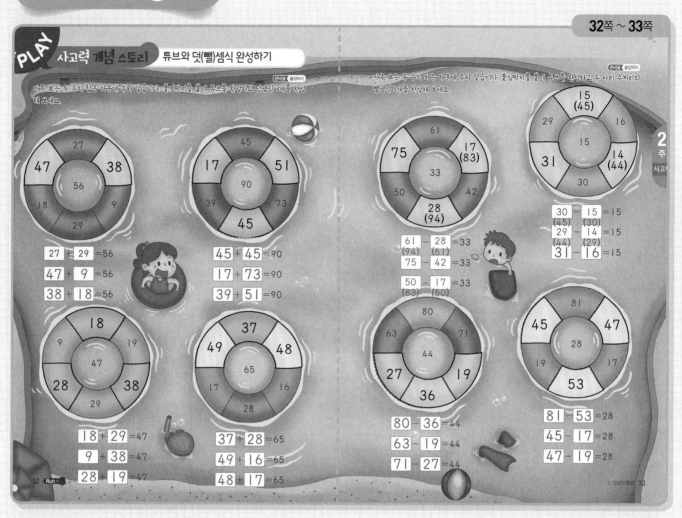

PLAY 사고력 개념 스토리 ㅣ 튜브와 덧(뺄)셈식 완성하기

마주 보는 두 수의 합은 가운데 수와 같습니다. 붙임딱지를 붙여 튜브를 완성하고 덧셈식 3개를 완성해 보세요.

마주 보는 두 수의 차는 가운데 수와 같습니다. 붙임딱지를 붙여 튜브를 완성하고 두 자리 수끼리의 뺄셈식 3개를 완성해 보세요.

$27 + 29 = 56$
$47 + 9 = 56$
$38 + 18 = 56$

$45 + 45 = 90$
$17 + 73 = 90$
$39 + 51 = 90$

$18 + 29 = 47$
$9 + 38 = 47$
$28 + 19 = 47$

$37 + 28 = 65$
$49 + 16 = 65$
$48 + 17 = 65$

$61 - 28 = 33$
$(94) (61)$
$75 - 42 = 33$
$50 - 17 = 33$
$(83) (50)$

$30 - 15 = 15$
$(45) (30)$
$29 - 14 = 15$
$(44) (29)$
$31 - 16 = 15$

$80 - 36 = 44$
$63 - 19 = 44$
$71 - 27 = 44$

$81 - 53 = 28$
$45 - 17 = 28$
$47 - 19 = 28$

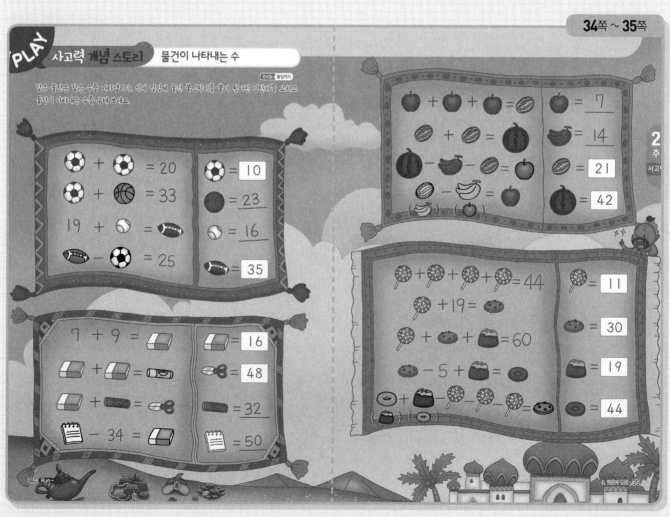

PLAY 사고력 개념 스토리 ㅣ 물건이 나타내는 수

같은 물건은 같은 수를 나타냅니다. 식에 알맞게 물건 붙임딱지를 붙여 짝지어진 양변자를 고치고 물건이 나타내는 수를 구해 보세요.

⚽ + ⚽ = 20 ⚽ = 10
⚽ + 🏀 = 33 ⚫ = 23
19 + ⚾ = 🏈 ⚾ = 16
🏈 - ⚽ = 25 🏈 = 35

7 + 9 = 📗 📗 = 16
📗 + 📗 = 📏 📏 = 48
📗 + 📕 = ✂️ ✂️ = 32
📓 - 34 = 📗 📓 = 50

🍎 + 🍎 + 🍎 = 🍉 🍎 = 7
🍉 + 🍉 = 🍉 🍉 = 14
🍉 - 🥭 - 🍉 = 🍎 🥭 = 21
🍈 - 🍌 = 🍎 🍉 = 42

🍭 + 🍭 + 🍭 + 🍭 = 44 🍭 = 11
🍭 + 19 = 🍪 🍪 = 30
🍭 + 🍪 + 🍫 = 60 🍫 = 19
🍫 - 5 + 🍫 = 🍪 🍬 = 44

1단계 교과 사고력 잡기

정답과 풀이 p.9

1 혜미는 어느 날 마트에서 치즈 과자와 초코 과자를 각각 한 상자씩 샀습니다. 그런데 초코 과자는 1+1 행사를 하고 있었습니다. 혜미가 산 과자는 모두 몇 개인지 구해 보세요.

초코 과자는 한 상자에 과자가 15개씩 들어 있군!

❶ 치즈 과자와 초코 과자는 한 상자에 과자가 각각 몇 개씩 들어 있을까요?
치즈 과자 (**17개**), 초코 과자 (**15개**)

❷ 혜미가 산 과자는 모두 몇 상자일까요?
(**3상자**)

✤ (치즈 과자 1상자)+(초코 과자 2상자)
  =1+2=3(상자)

❸ 혜미가 산 과자는 모두 몇 개일까요?
(**47개**)

✤ 17+15+15=32+15=47(개)

36 · Run 2-1

2 옛날 우리나라 사람들은 다음과 같이 산가지라 불리는 나뭇가지를 사용해서 수를 나타내었습니다. 산가지의 수를 보고 물음에 답하세요.

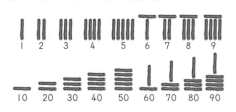

❶ 산가지가 나타내는 수를 찾아 이어 보세요.

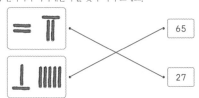

| 65 |
| 27 |

❷ 산가지로 나타낸 두 수의 합을 산가지로 나타내어 보세요.

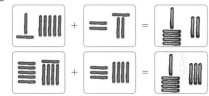

✤ · 65+27=92
  · 59+34=93

3. 덧셈과 뺄셈 · 37

1단계 교과 사고력 잡기

정답과 풀이 p.9

3 펭귄이 65에서 출발하여 얼음길을 따라 가려고 합니다. 계산 결과는 물고기가 있는 64가 나오도록 펭귄이 가야 하는 길을 표시해 보세요.

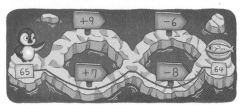

❶ 펭귄이 갈 수 있는 길은 모두 몇 가지일까요?
(**4가지**)

❷ 펭귄이 갈 수 있는 길을 따라 계산식을 만들어 계산해 보세요.
식1 65+9-6=74-6=68
식2 65+9-8=74-8=66
식3 65+7-6=72-6=66
식4 65+7-8=72-8=64

❸ 펭귄이 가야 하는 길을 표시해 보세요.

38 · Run 2-1

4 지수와 승기는 과녁 맞히기 놀이를 했습니다. 두 사람은 각각 화살을 3개씩 쏘았고 맞힌 점수의 합이 같았습니다. 승기는 모두 다른 점수를 맞혔다면 승기가 맞힌 점수에 ○표 하세요.

| 지수 | 승기 |

❶ 지수가 맞힌 점수는 모두 몇 점일까요?
식 35+26+19=80
답 80점

✤ 35+26+19=61+19=80(점)

❷ 맞힌 점수의 합이 같아지려면 승기는 몇 점을 더 맞혀야 할까요?
(**52점**)

✤ 80-28=52(점)

❸ 승기는 모두 다른 점수를 맞혔다면 승기가 맞힌 점수에 ○표 하세요.
✤ 합해서 52가 되는 서로 다른 두 수는 일의 자리 숫자끼리의
  합이 2 또는 12가 되어야 합니다.
  23+19=42 (×), 26+16=42 (×),
  35+17=52 (○)

3. 덧셈과 뺄셈 · 39

2단계 교과 사고력 확장

정답과 풀이 p.10

1 보기 와 같이 한 원 안에 있는 수들의 합은 모두 같습니다. 원의 빈 곳에 알맞은 수를 써넣으세요.

보기

15 7 12 3 19 → 15+7=22
7+12+3=22
3+19=22

❶
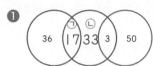

36 17 33 3 50

÷ 50+3=53
→ 36+㉠=53, ㉠=17
→ 17+㉡+3=53,
㉡=33

❷
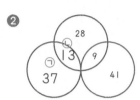

28 13 9 37 41

÷ 9+41=50
→ 28+㉡+9=50
㉡=13
→ ㉠+13=50, ㉠=37

❸
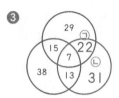

29 15 22 7 38 13 31

÷ 38+15+7+13=73
→ 29+15+7+㉠=73,
㉠=22
→ 22+7+13+㉡=73,
㉡=31

2 가을이 되면 꽃잎이 떨어져서 2장의 꽃잎만 남게 됩니다. 남아 있는 2장의 꽃잎에 써 있는 수의 합이 가운데 잎에 써 있는 수와 같아야 합니다. 남아 있는 꽃잎 2장을 찾아 ○표 하세요.

❶
9 61 22 41 55 48 23 7 26

❷
16 61 8 45 67 23 59 18 50

÷ ① 합해서 일의 자리 숫자가 5가 되는 두 수를 찾습니다.
(22, 23), (48, 7), (9, 26)
이 중에서 합이 55가 되는 경우를 찾으면 48+7=55입니다.
② 합해서 일의 자리 숫자가 7이 되는 두 수를 찾습니다.
(16, 61), (8, 59), (18, 59)
이 중에서 합이 67이 되는 경우를 찾으면 8+59=67입니다.

❸
22 37 17 20 52 25 27 31 8

❹
36 19 42 50 73 37 41 22 53

÷ ③ 합해서 일의 자리 숫자가 2가 되는 두 수를 찾습니다.
(22, 20), (37, 25), (27, 25), (17, 25)
이 중에서 합이 52가 되는 경우를 찾으면
27+25=52입니다.
④ 합해서 일의 자리 숫자가 3이 되는 두 수를 찾습니다.
(42, 41), (22, 41), (36, 37), (50, 53)
이 중에서 합이 73이 되는 경우를 찾으면
36+37=73입니다.

40 · Run - 2-1

3. 덧셈과 뺄셈 · 41

2단계 교과 사고력 확장

정답과 풀이 p.10

3 한 줄에 놓인 세 수의 합이 같습니다. 빈 곳에 알맞은 수를 써넣으세요.

❶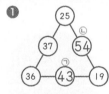
25 ㉡ 37 54 36 43 19

❷
35 ㉡ 32 16 ㉠ 11 40 27

÷ 36+37+25=98
→ 36+㉠+19=98,
㉠=98-19-36
=79-36=43
→ 25+㉡+19=98,
㉡=98-19-25
=79-25=54

÷ 35+16+27=78
→ ㉠+40+27=78,
㉠=78-27-40
=51-40=11
→ 35+㉡+11=78,
㉡=78-11-35
=67-35=32

❸ ㉠

25	21	30
㉡ 28		9
23	16	37
㉢

❹ ㉠

38	26	18
15		29 ㉢
29	18	35

÷ 30+9+37=76
→ 25+㉠+30=76,
㉠=76-30-25
=46-25=21
→ 25+㉡+23=76,
㉡=76-23-25
=53-25=28
→ 23+㉢+37=76,
㉢=76-37-23
=39-23=16

÷ 29+18+35=82
→ ㉠+15+29=82,
㉠=82-29-15
=53-15=38
→ 38+26+㉡=82,
㉡=82-38-26
=44-26=18
→ 18+㉢+35=82,
㉢=82-35-18
=47-18=29

4 같은 선 위의 양쪽 끝에 있는 두 수의 차를 가운데에 쓰려고 합니다. 빈 곳에 알맞은 수를 써넣으세요.

❶
→52>23 →52-23

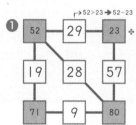

52 29 23
19 28 57
71 9 80

÷ ·52>23 →52-23=29
·71>52 →71-52=19
·80>71 →80-71=9
·80>52 →80-52=28
·80>23 →80-23=57

❷
48-39=9 →67-19=48

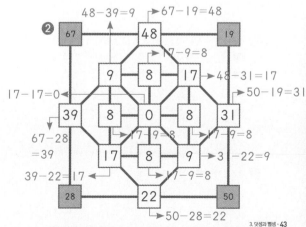

67 48 19
9 8 17 →48-31=17
17-17=0 →50-19=31
39 8 0 8 31
67-28 17-9=8 17-9=8
=39
17 8 9 →3-22=9
39-22=17 17-9=8
28 22 50
→50-28=22

÷ 선 위의 양쪽 끝에 두 수가 모두 있는 경우부터 차례로 구합니다.

42 · Run - 2-1

3. 덧셈과 뺄셈 · 43

10 · Run - B 2-1

③단계 교과 사고력 완성

정답과 풀이 p.11

평가 영역 □개념 이해력 □개념 응용력 □창의력 ☑문제 해결력

1 건우와 나영이가 3일 동안 한 윗몸 일으키기 횟수입니다. 건우와 나영이가 3일 동안 한 윗몸 일으키기 횟수가 같다면 건우는 셋째 날 윗몸 일으키기를 몇 번 했는지 구해 보세요.

	첫째 날	둘째 날	셋째 날
건우	24번	39번	
나영	18번	42번	22번

❶ 건우가 2일 동안 한 윗몸 일으키기 횟수를 구해 보세요.

(63번)

❷ 나영이가 3일 동안 한 윗몸 일으키기 횟수를 구해 보세요.

(82번)

❸ 건우는 셋째 날 윗몸 일으키기를 몇 번 했는지 구해 보세요.

(19번)

❖ ① 24+39=63(번)
  ② 18+42+22=60+22=82(번)
  ③ 82-63=19(번)

평가 영역 □개념 이해력 □개념 응용력 □창의력 ☑문제 해결력

2 민경이와 서진이가 3일 동안 한 줄넘기 횟수입니다. 민경이와 서진이 중 누가 3일 동안 줄넘기를 몇 번 더 많이 했는지 구해 보세요.

💬 민경이와 서진이가 3일 동안 한 줄넘기 횟수를 먼저 구합니다.

	첫째 날	둘째 날	셋째 날
민경	38번	24번	26번
서진	15번	47번	29번

(서진), (3번)

❖ 민경: 38+24+26=62+26=88(번),
  서진: 15+47+29=62+29=91(번)
  ➡ 91-88=3(번)

평가 영역 □개념 이해력 □개념 응용력 ☑창의력 □문제 해결력

3 수 카드 4장 중 2장을 골라 한 번씩 사용하여 두 자리 수를 만들려고 합니다. 만든 두 자리 수와 30의 차가 가장 작은 값은 얼마인지 구해 보세요.

❶ 만든 두 자리 수 중 30과 가까운 수를 2개 구해 보세요.

(18, 41)

❷ ❶에서 구한 두 자리 수와 30의 차를 각각 구하여 작은 값을 써 보세요.

30-18=12, 41-30=11

(11)

❖ 8>5>4>1이고 만든 두 자리 수 중 30과 가까운 수는 1□, 4□이므로 18, 41입니다.

평가 영역 □개념 이해력 □개념 응용력 ☑창의력 □문제 해결력

4 수 카드 5장 중 2장을 골라 한 번씩 사용하여 두 자리 수를 만들려고 합니다. 만든 두 자리 수와 55의 차가 가장 작게 되는 뺄셈식을 쓰고 답을 구해 보세요.

💬 만든 두 자리 수 중 55와 가까운 수를 생각합니다.

3 8 2 9 7

식) 55-39=16

답) 16

❖ 9>8>7>3>2이고 만든 두 자리 수 중 55와 가까운 수는 3□, 7□이므로 39, 72입니다.
  ➡ 55-39=16, 72-55=17

Test 종합평가   3. 덧셈과 뺄셈

맞은 개수

정답과 풀이 p.11

1 오른쪽 뺄셈식에서 ③이 실제로 나타내는 수는 얼마일까요?

```
  ③ 10
  4  2
-    9
  3  3
```

(30)

❖ 40에서 일의 자리에 10을 받아내림하고 남은 30을 나타냅니다.

2 그림을 보고 □ 안에 알맞은 수를 써넣으세요.

(1)

36+17= 53

(2)

43-15= 28

3 빈 곳에 두 수의 합을 써넣으세요.

27	39
66	

85	58
143	

❖ · 27+39=66   · 85+58=143

4 그림을 보고 □ 안에 알맞은 수를 써넣으세요.

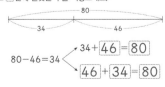

34+ 46 = 80

80-46=34

46 + 34 = 80

5 38+57을 여러 가지 방법으로 구해 보세요.

(1) 38+57=38+50+ 7
   =88+ 7
   = 95

(2) 38+57=38+60- 3
   =98- 3
   = 95

6 계산 결과를 비교하여 ○ 안에 >, =, <를 알맞게 써넣으세요.

52-13-6 < 27+14-6

❖ 52-13-6=39-6=33,
  27+14-6=41-6=35이므로 33<35입니다.

7 그림을 보고 □를 사용하여 식으로 나타내고 □의 값을 구해 보세요.

식) 15-□=7

답) 8

❖ 빼낸 구슬 수를 □로 하여 뺄셈식으로 나타내면
  15-□=7이므로 □+7=15, 15-7=□, □=8입니다.

8 빈칸에 들어갈 수는 선으로 연결된 위에 있는 두 수의 합입니다. 빈칸에 알맞은 수를 써넣으세요.

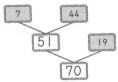

❖ 7+44=51 ➡ 51+19=70

Test 종합평가   3. 덧셈과 뺄셈

9 다음 세 수 중 가장 큰 수와 가장 작은 수의 합에서 나머지 수를 뺀 값을 구해 보세요.

| 65 | 73 | 17 |

(25   )

❖ 수의 크기를 비교하면 73>65>17입니다.
   따라서 73+17-65=90-65=25입니다.

10 다음 세 수를 모두 사용하여 덧셈식과 뺄셈식을 각각 완성해 보세요.

덧셈식
$46+29=75$
$29+46=75$

뺄셈식
$75-29=46$
$75-46=29$

11 어떤 수에서 28을 빼면 43이 됩니다. 어떤 수는 얼마일까요?

(71   )

❖ 어떤 수를 □라 하면 □-28=43이므로
   28+43=□, □=71입니다.

48 · Run-Ⓑ 2-1

12 □ 안에 알맞은 수를 써넣으세요.

(1)

```
  5  7
+ 7
─────
  6  4
```

(2)
```
  4  2
-  1  6
─────
  2  6
```

❖ (1) · 일의 자리 계산: 7+□=14 ➡ 14-7=□, □=7
     · 십의 자리 계산: 1+□=6 ➡ □=5
   (2) · 일의 자리 계산: 10+2-6=□ ➡ □=6
     · 십의 자리 계산: □-1-1=2 ➡ □=4

13 30부터 39까지의 수 중 □ 안에 들어갈 수 있는 수를 모두 구해 보세요.

| 38+□>74 |

(37, 38, 39   )

❖ 38+□=74일 때 74-38=□, □=36입니다.
   38+□>74이어야 하므로 □는 36보다 커야 합니다.
   따라서 □ 안에 들어갈 수 있는 수는 37, 38, 39입니다.

14 □ 안에 알맞은 수가 가장 큰 것을 찾아 기호를 써 보세요.

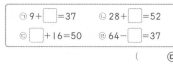

㉠ 9+□=37   ㉡ 28+□=52
㉢ □+16=50   ㉣ 64-□=37

(㉢   )

❖ ㉠ 37-9=□, □=28   ㉡ 52-28=□, □=24
   ㉢ 50-16=□, □=34
   ㉣ □+37=64, 64-37=□, □=27

3. 덧셈과 뺄셈 · 49

Test 종합평가   3. 덧셈과 뺄셈

15 어떤 수에 37을 더해야 할 것을 잘못하여 뺐더니 53이 되었습니다. 바르게 계산하면 얼마인지 구해 보세요.

(127   )

❖ 어떤 수를 □라 하면 □-37=53이므로
   37+53=□, □=90입니다.
   따라서 바르게 계산하면 90+37=127입니다.

16 화살 두 개를 쏘았을 때 화살이 꽂힌 곳에 있는 두 수의 합이 가운데에 있는 수 75가 되게 하려고 합니다. 화살이 꽂힌 곳에 있는 두 수는 무엇인지 구해 보세요.

(37, 38   )

❖ 두 수를 합해서 일의 자리 숫자가 5인 두 수는 (29, 36),
   (38, 37)입니다.
   29+36=65, 38+37=75이므로 화살이 꽂힌 곳에
   있는 두 수는 37, 38입니다.

17 수 카드 4장 중 2장을 골라 한 번씩 사용하여 두 자리 수를 만들려고 합니다. 만든 두 자리 수와 54의 차가 가장 작게 되는 뺄셈식을 쓰고 답을 구해 보세요.

식   54-47=7
답   7

❖ 7>6>4>2이고 만든 두 자리 수 중 54와 가까운 수는
   4□, 6□이므로 47, 62입니다.
   ➡ 54-47=7, 62-54=8

50 · Run-Ⓑ 2-1

특강 창의·융합 사고력

1 성냥개비를 사용하여 덧셈식과 뺄셈식을 만들었습니다. 덧셈식과 뺄셈식의 계산이 맞도록 성냥개비를 하나만 옮겨서 식을 완성해 보세요.

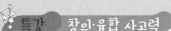

덧셈식으로

 ➡ 뺄셈식으로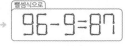

2 마법사가 어떤 수에 5를 더하고 17을 빼야 할 것을 잘못하여 다음과 같이 계산하였습니다. 바르게 계산하면 얼마인지 구해 보세요.

(5   )

❖ □+17-5=29 ➡ □=29+5-17=34-17=17
   따라서 바르게 계산하면 17+5-17=22-17=5입니다.

3. 덧셈과 뺄셈 · 51

4 길이 재기

단원과 관련된 길이의 단위 이야기를 살펴보아요.

길이의 단위가 생겨난 이유

옛날에 키도 크고 강한 힘을 가진 왕이 있었습니다. 왕은 자신의 발 길이를 물건의 길이를 재는 단위로 정하였습니다. 하지만 다음에 발이 작은 사람이 왕위에 오르는 바람에 나라가 한바탕 소동이 벌어져서 백성들이 큰 혼란에 빠지게 되었습니다. 그래서 이런 문제가 생기지 않도록 공통 단위가 나오게 되었습니다.

7걸음까지가 궁궐 연못의 길이야.

내 7걸음으로는 겨우 여기까진데?

옛날에는 어느 민족이든 신체의 일부분을 단위로 하여 길이를 재었습니다. 지금도 자신의 신체 부위의 길이를 알면 자가 없어도 길이를 재는 데 편리하게 이용할 수 있습니다.
몸을 이용한 길이 단위에는 큐빗, 양팔을 펼쳤을 때의 길이, 한 뼘, 피트, 인치가 있습니다.

🌱 **큐빗**: 팔꿈치에서 가운뎃손가락까지의 길이
피트: 발 뒤꿈치부터 엄지발가락까지의 길이로 성인의 발 길이에서 유래됨.
인치: 어른 엄지손가락 너비에서 유래되었으나 오늘날에는 어린이의 엄지손가락 첫 마디 길이를 나타냄.

준비학습 붙임 딱지 재기

🐰 액자의 긴 쪽의 길이와 짧은 쪽의 길이를 엄지손가락 너비를 이용하여 재려고 합니다. 엄지손가락 너비 붙임딱지를 붙여 보세요.

🐰 고양이가 생선을 먹기 위해 길을 따라가려고 합니다. 세 가지 길 중에 가장 가까운 길을 따라 선을 그어 보세요.

1단계 교과서 개념 잡기

개념 확인 문제

정답과 풀이 p.13

개념 1 여러 가지 단위로 길이 재기

• 우리 몸을 이용하여 길이 재기

뼘: 엄지손가락과 다른 손가락을 완전히 펴서 벌렸을 때에 두 끝 사이의 거리

🐰 뼘으로 우산의 길이 재기

➔ 우산의 길이는 6뼘입니다.

• 여러 가지 단위로 길이 재기

➔ 길이를 잴 때 사용할 수 있는 단위에는 여러 가지가 있습니다.

🐰 여러 가지 단위로 리코더의 길이 재기

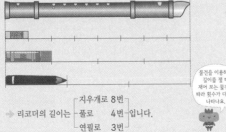

지우개로 8번

➔ 리코더의 길이는 클립으로 4번 입니다.
연필로 3번

물건을 이용하여 길이를 잴 때 재어 보는 물건에 따라 횟수가 다르게 나타나요.

1-1 나뭇가지의 길이는 못으로 몇 번일까요?

(**5번**)

✿ 나뭇가지의 길이는 못으로 5번 이은 길이와 같습니다.

1-2 길이를 잴 때 사용하는 단위 중에 가장 긴 것에 ○표, 가장 짧은 것에 △표 하세요.

( ) (△) (○) ( )

1-3 지우는 다이어리의 긴 쪽의 길이를 지우개와 클립으로 각각 재었습니다. 물음에 답하세요.

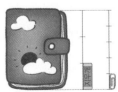

(1) 다이어리의 긴 쪽의 길이는 지우개로 몇 번일까요?

(**3번**)

(2) 다이어리의 긴 쪽의 길이는 클립으로 몇 번일까요?

(**5번**)

✿ (1) 다이어리의 긴 쪽의 길이는 지우개를 3번 이은 길이와 같으므로 지우개로 3번입니다.

(2) 다이어리의 긴 쪽의 길이는 클립을 5번 이은 길이와 같으므로 클립으로 5번입니다.

3주 교과

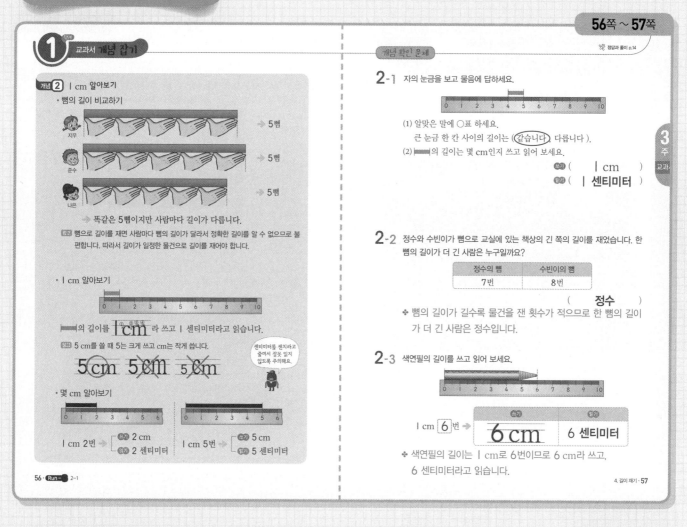

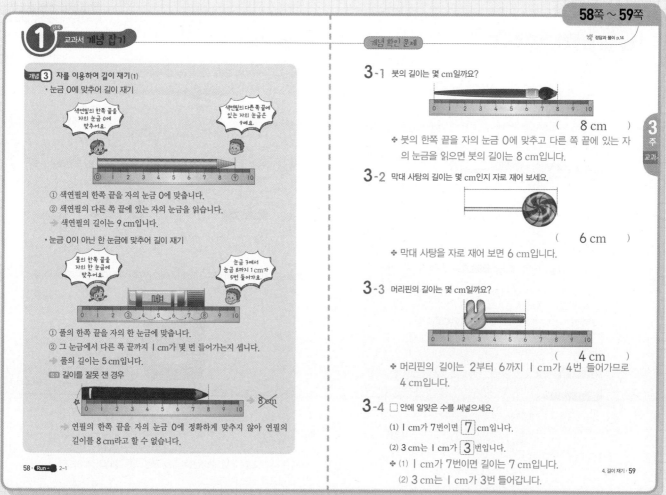

1 교과서 개념 잡기

개념 4 자를 이용하여 길이 재기 (2)

• 길이가 자의 눈금 사이에 있을 때 '약 몇 cm'로 나타내기

> 길이가 자의 눈금 사이에 있을 때는 눈금과 가까운 쪽에 있는 숫자를 읽으며, 숫자 앞에 약을 붙여서 말합니다.

→ 약 7 cm

→ 약 7 cm

➡ 두 숟가락의 길이는 약 7 cm이지만 실제 길이는 다릅니다.

→ 약 3 cm

➡ 성냥개비의 길이는 4 cm부터 재었기 때문에 약 3 cm입니다.

개념 5 길이를 어림하기

• 어림하고 자로 재어 확인하기

어림한 길이를 말할 때는 숫자 앞에 약을 붙여서 말합니다.

> 빵의 길이를 어림하면 약 4 cm예요. (승기)

> 빵의 길이를 어림하면 약 7 cm예요. (은지)

자로 잰 길이: 5 cm

➡ 어림한 길이와 실제 길이의 차가 승기는 5-4=1 (cm)이고, 은지는 7-5=2 (cm)이므로 실제 길이에 더 가깝게 어림한 사람은 승기입니다.

참고 어림한 길이와 자로 잰 길이가 다를 수 있습니다.

개념 확인 문제

4-1 칫솔의 길이는 약 몇 cm일까요?

(약 9 cm)

❖ 칫솔의 길이는 9 cm에 가깝기 때문에 약 9 cm입니다.

4-2 삼각형의 세 변의 길이를 각각 자로 재어 보세요.

약 4 cm
약 3 cm
약 5 cm

❖ 삼각형의 세 변의 길이를 각각 자로 재어 가까운 쪽에 있는 숫자를 읽습니다.

5 물건의 길이를 어림하고 자로 재어 보세요.

(1)

어림한 길이 약 (예 5 cm)
자로 잰 길이 (5 cm)

(2)

어림한 길이 약 (예 8 cm)
자로 잰 길이 (8 cm)

❖ 1 cm로 몇 번 정도 되는지 생각하여 열쇠와 칼의 길이를 어림합니다.

PLAY 교과서 개념 스토리 보물지도 만들기

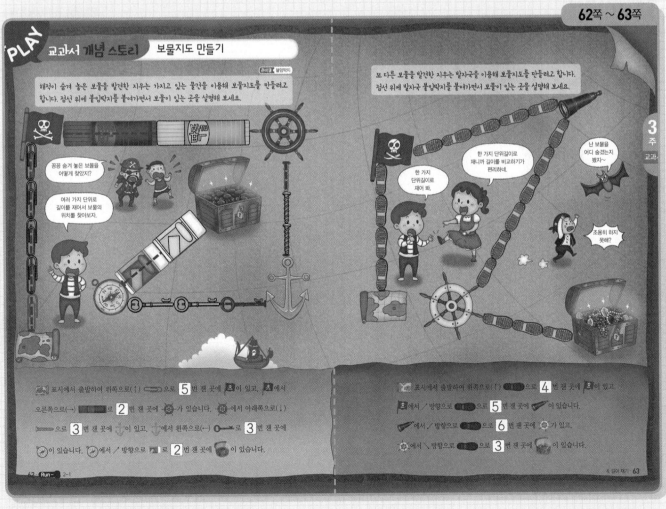

PLAY 교과서 **개념 스토리** | 마을지도 완성하기

지훈이네 마을지도입니다. 1 cm, 2 cm, 3 cm, 5 cm 막대 붙임딱지를 점선 위에 붙여가며 거리를 재어 보고, 거리에 알맞은 건물 붙임딱지를 붙여 보세요.

지훈이네 집에서 도서관까지의 거리: 9 cm
지훈이네 집에서 경찰서까지의 거리: 12 cm
지훈이네 집에서 약국까지의 거리: 15 cm

영우네 마을지도입니다. 1 cm, 2 cm, 3 cm, 5 cm 막대 붙임딱지를 점선 위에 붙여가며 거리를 재어 보고, 거리에 알맞은 건물 붙임딱지를 붙여 보세요.

영우네 집에서 학교까지의 거리: 10 cm
영우네 집에서 병원까지의 거리: 8 cm
영우네 집에서 소방서까지의 거리: 17 cm

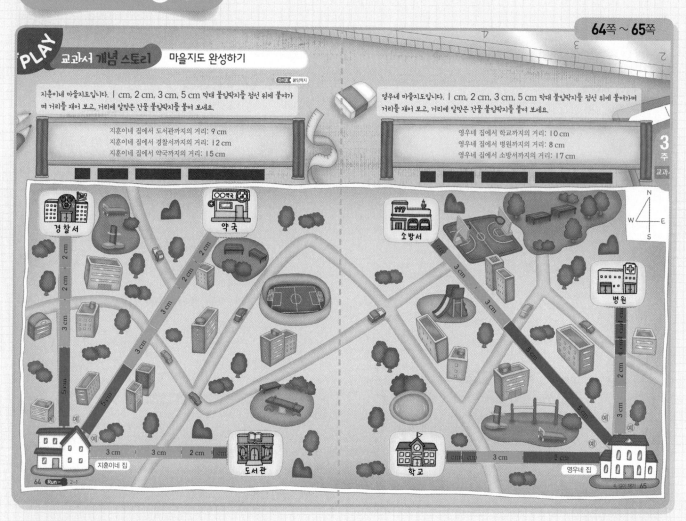

② 단계 교과서 **개념 다지기**

📑 정답과 풀이 p.16

개념 1 | 여러 가지 단위로 길이 재기

01 필통의 길이는 연필과 지우개로 각각 몇 번일까요?

✣ 필통의 길이는 연필을 3번 이은   연필 (**3번**)
길이와 같으므로 연필로 3번입니다.   지우개 (**5번**)
필통의 길이는 지우개를 5번 이은 길이와 같으므로 지우개로 5번입니다.

02 길이를 잴 수 있는 단위로 사용할 수 있는 것을 2가지씩 찾아 써 보세요.

우리 몸	예 뼘	,	팔
우리 집	예 우산	,	젓가락

03 그림을 보고 물음에 답하세요.

(1) 길이를 잴 때 사용할 수 있는 단위 중 가장 긴 것을 찾아 기호를 써 보세요.

(㉠)

(2) 길이를 잴 때 사용할 수 있는 단위 중 가장 짧은 것을 찾아 기호를 써 보세요.

(㉡)

개념 2 | 1 cm 알아보기

04 승기와 호동이는 각자의 뼘으로 교실 문의 긴 쪽의 길이를 재었더니 다음과 같이 다른 결과가 나왔습니다. 왜 다른 결과가 나왔는지 알맞은 말에 ○표 하세요.

승기의 뼘	호동이의 뼘
16번	15번

➔ 사람마다 뼘의 길이가 (같기 , (다르기)) 때문입니다.

05 한 칸의 길이는 1 cm입니다. 주어진 길이만큼 점선을 따라 선을 그어 보세요.

(1) 3 cm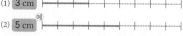

(2) 5 cm

✣ (1) 1 cm로 3번이면 3 cm이므로 3칸만큼 선을 긋습니다.
    (2) 1 cm로 5번이면 5 cm이므로 5칸만큼 선을 긋습니다.

06 길이가 1 cm, 2 cm, 3 cm인 막대가 있습니다. 이 막대들을 여러 번 사용하여 서로 다른 방법으로 7 cm를 색칠해 보세요.

파랑	빨강	초록
1 cm	2 cm	3 cm

예 7 cm | 파랑 | 빨강 | 빨강 | 파랑 | 초록 | 초록 | 초록 |

예 7 cm | 파랑 | 빨강 | 빨강 | 파랑 | 빨강 | 빨강 | 파랑 |

예 7 cm | 빨강 | 빨강 | 초록 | 초록 | 초록 | 빨강 | 빨강 |

✣ 막대의 길이의 합이 7 cm가 되도록 색칠하는 방법은 여러 가지가 있습니다.

정답과 풀이 p.17

개념3 눈금 0에 맞추어 길이 재기

07 길이를 자로 바르게 잰 것을 찾아 기호를 써 보세요.

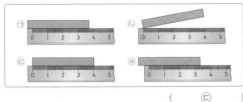

(ⓒ)

❖ ㉠, ㉣: 물건의 한쪽 끝을 자의 눈금 0에 맞추지 않았습니다.

ⓒ: 물건과 자를 나란히 놓지 않고 비스듬하게 놓았습니다.

08 □ 안에 알맞은 수를 써넣으세요.

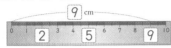

❖ • 자에서 똑같은 간격으로 눈금이 있고 큰 눈금의 숫자는 0부터 시작해서 순서대로 1씩 커집니다.

• 1 cm가 9번 있으므로 9 cm입니다.

09 벽돌의 길이를 자로 재어 보세요.

(1)  ③ cm

(2)  ⑤ cm

❖ 벽돌의 한쪽 끝을 자의 눈금 0에 맞추고 다른 쪽 끝에 있는 자의 눈금을 읽습니다.

개념4 눈금이 0이 아닌 한 눈금에 맞추어 길이 재기

10 같은 길이끼리 이어 보세요.

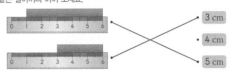

3 cm

4 cm

5 cm

❖ • 1부터 6까지 1 cm가 5번 들어가므로 5 cm입니다.

• 3부터 6까지 1 cm가 3번 들어가므로 3 cm입니다.

11 포크의 길이는 몇 cm일까요?

(11 cm)

❖ 포크의 길이는 2부터 13까지 1 cm가 11번 들어가므로 11 cm입니다.

12 연필의 길이가 더 긴 것의 기호를 써 보세요.

❖ ㉠ 연필의 길이는 4부터 12까지 1 cm가 8번 (ⓒ)
들어가므로 8 cm입니다.

ⓒ 연필의 길이는 3부터 12까지 1 cm가 9번
들어가므로 9 cm입니다.

따라서 8<9이므로 연필의 길이가 더 긴 것은 ⓒ입니다.

정답과 풀이 p.17

개념5 길이가 자의 눈금 사이에 있을 때 길이 재기

13 색 테이프의 길이를 재어 보고 세형이는 약 6 cm, 민지는 약 7 cm라고 말하였습니다. 길이 재기를 바르게 한 사람은 누구일까요?

(세형)

❖ 색 테이프의 길이는 6 cm에 가까우므로 약 6 cm입니다.
따라서 길이 재기를 바르게 한 사람은 세형이입니다.

14 과자의 길이는 약 몇 cm일까요?

(약 6 cm)

❖ 과자의 길이는 8 cm에 가깝지만 2 cm부터 재었기 때문에 약 6 cm입니다.

15 물건의 길이를 자로 재어 보세요.

(1)  ➡ 약 ③ cm

(2) ➡ 약 ⑤ cm

❖ (1) 클립의 길이는 3 cm에 가깝습니다. ➡ 약 3 cm

(2) 크레파스의 길이는 5 cm에 가깝습니다. ➡ 약 5 cm

개념6 길이를 어림하기

16 보기에서 알맞은 길이를 골라 문장을 완성해 보세요.

보기
| 3 cm | 30 cm | 75 cm | 138 cm |

(1) 지우개의 길이는 ③ cm입니다.

(2) 초등학교 2학년인 서진이의 키는 138 cm입니다.

❖ 실제 길이에 가장 가까운 것을 골라 문장을 완성합니다.

17 물건의 실제 길이에 가장 가까운 것을 찾아 이어 보세요.

콩

풀

공책의 긴 쪽

25 cm

1 cm

6 cm

❖ • 콩의 실제 길이는 약 1 cm입니다.

• 풀의 실제 길이는 약 6 cm입니다.

• 공책의 긴 쪽의 실제 길이는 약 25 cm입니다.

18 ㉠과 ⓒ의 길이를 각각 어림하고 자로 재어 보세요.

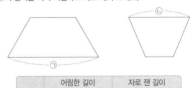

	어림한 길이	자로 잰 길이
㉠	약 예 6 cm	6 cm
ⓒ	약 예 4 cm	4 cm

❖ 1 cm로 몇 번 정도 되는지 생각하여 어림해 보고, 자로 재어 눈금을 읽습니다.

③ 단계 교과서 실력 다지기

정답과 풀이 p.18

★ 단위의 길이가 같을 때 길이 비교하기

1 영진, 현지, 슬기는 모형으로 모양 만들기를 하였습니다. 가장 길게 연결한 친구의 이름을 써 보세요.

❖ 사용한 모형의 수를 각각 세면
답 **슬기**

영진: 5개, 현지: 4개, 슬기: 6개입니다.

개념 리드북 ① 사용한 모형의 수를 각각 세어 봅니다.
② 모형의 수를 비교하여 가장 길게 연결한 친구를 찾습니다.

따라서 6>5>4이므로 가장 길게 연결한 친구는 슬기입니다.

1-1 정우가 엄지손가락 너비로 각 물건의 길이를 재었습니다. 길이가 가장 짧은 물건을 써 보세요.

스마트폰	볼펜	컵	가위
9번	8번	7번	11번

❖ 같은 단위로 재었을 때 단위로 재어 나 (**컵**)
타낸 수가 작을수록 물건의 길이가 짧습니다.

따라서 7<8<9<11이므로 길이가 가장 짧은 물건은 컵입니다.

1-2 민지가 클립으로 각 물건의 길이를 재었습니다. 길이가 긴 물건부터 차례로 써 보세요.

지우개	젓가락	색연필
3번	5번	4번

❖ 같은 단위로 재었을 때 (**젓가락, 색연필, 지우개**)
단위로 재어 나타낸 수가 클수록 물건의 길이가 깁니다.

따라서 5>4>3이므로 길이가 긴 물건부터 차례로 쓰면
젓가락, 색연필, 지우개입니다.

72 · Run-B 2-1

★ 여러 가지 단위로 길이 재어 비교하기

2 다음과 같은 여러 가지 단위로 칠판의 긴 쪽의 길이를 재었습니다. 잰 횟수가 적은 단위부터 차례로 기호를 써 보세요.

답 ㉢, ㉠, ㉡

❖ ㉠ 손바닥 너비 ㉡ 엄지손가락 너비 ㉢ 한 팔의 길이

개념 리드북 칠판의 긴 쪽의 길이를 잴 때 단위길이가 길수록 잰 횟수가 적습니다.

잰 횟수가 적으려면 단위길이가 길어야 하므로 단위길이가 긴 것부터 차례로
기호를 쓰면 ㉢, ㉠, ㉡입니다.

2-1 다음과 같은 여러 가지 단위로 책상의 긴 쪽의 길이를 재었습니다. 잰 횟수가 많은 단위부터 차례로 기호를 써 보세요.

❖ 길이를 잴 때 사용하는 단위길이가 짧을 (㉠, ㉢, ㉣, ㉡)
수록 재어 나타낸 수가 큽니다.

따라서 잰 횟수가 많은 단위부터 차례로 기호를 쓰면 ㉠, ㉢, ㉣, ㉡입니다.

2-2 민수, 지혜, 기연이가 각자의 뼘으로 우산의 길이를 재었습니다. 한 뼘의 길이가 가장 짧은 사람은 누구일까요?

민수의 뼘	지혜의 뼘	기연이의 뼘
4번	6번	3번

❖ 같은 길이를 잴 때 한 뼘의 길이가 짧을수 (**지혜**)
록 재어 나타낸 수가 큽니다.

따라서 잰 횟수가 가장 많은 지혜의 한 뼘의 길이가
가장 짧습니다.

4. 길이 재기 · 73

③ 단계 교과서 실력 다지기

정답과 풀이 p.18

★ 1 cm를 이용하여 길이 구하기

3 토끼가 당근을 먹으러 굵은 선으로 표시된 길을 따라갑니다. 토끼가 따라간 길은 몇 cm인지 구해 보세요. (단, 가장 작은 사각형의 한 변의 길이는 1 cm로 모두 같습니다.)

답 **5 cm**

개념 리드북 굵은 선으로 표시된 길에 1 cm인 변이 몇 개인지 세어 봅니다.

굵은 선으로 표시된 길의 변의 수를 세어 보면 모두 5개입니다.
따라서 토끼가 당근을 먹어 따라간 길은 5 cm입니다.

3-1 원숭이가 바나나를 먹으러 굵은 선으로 표시된 길을 따라갑니다. 원숭이가 따라간 길은 몇 cm인지 구해 보세요. (단, 가장 작은 사각형의 한 변의 길이는 1 cm로 모두 같습니다.)

(**6 cm**)

❖ 굵은 선으로 표시된 길의 변의 수를 세어 보면 모두 6개입니다.
따라서 원숭이가 바나나를 먹으러 따라간 길은 6 cm입니다.

3-2 ㉮에서 ㉯까지 가는 가장 짧은 길 중 하나가 굵은 선으로 표시되어 있습니다. ㉮에서 ㉯까지 가는 가장 짧은 길은 몇 cm인지 구해 보세요. (단, 가장 작은 사각형의 한 변의 길이는 1 cm로 모두 같습니다.)

(**7 cm**)

❖ 굵은 선으로 표시된 길의 변의 수를 세어 보면 모두 7개입니다.
따라서 ㉮에서 ㉯까지 가는 가장 짧은 길은 7 cm입니다.

74 · Run-B 2-1

★ 자를 이용하여 전체 길이 구하기

4 자를 이용하여 사각형의 변의 길이를 재어 네 변의 길이의 합을 구해 보세요.

❖ 사각형의 네 변의 길
이를 각각 자로 재어
보면 3 cm, 4 cm,
4 cm, 6 cm입니다.

답 **17 cm**

개념 리드북 ① 사각형의 네 변의 길이를 각각 자로 재어 봅니다.
② 자로 잰 사각형의 네 변의 길이의 합을 구합니다.

따라서 사각형의 네 변의 길이의 합은 3+4+4+6=17 (cm)입니다.

4-1 자를 이용하여 삼각형의 변의 길이를 재어 세 변의 길이의 합을 구해 보세요.

(**11 cm**)

❖ 삼각형의 세 변의 길이를 각각 자로 재어 보면 5 cm, 2 cm, 4 cm
입니다.

따라서 삼각형의 세 변의 길이의 합은 5+2+4=11 (cm)입니다.

4-2 자를 이용하여 액자의 변의 길이를 재어 네 변의 길이의 합을 구해 보세요.

(**16 cm**)

❖ 액자의 네 변의 길이를 각각 재어 보면 3 cm, 5 cm, 3 cm,
5 cm입니다.

따라서 액자의 네 변의 길이의 합은 3+5+3+5=16 (cm)입니다.

4. 길이 재기 · 75

3단계 교과서 실력 다지기

★ 가깝게 어림한 사람 찾기

5 혜미와 정민이는 약 5 cm를 어림하여 다음과 같이 어림한 길이만큼 종이를 잘랐습니다. 5 cm에 더 가깝게 어림한 사람의 이름을 써 보세요.

혜미 ➡ 5 cm
정민 ➡ 4 cm

답 __혜미__

개념 피드백 ① 어림한 길이와 실제 길이의 차가 작을수록 실제 길이에 더 가깝게 어림한 것입니다.
② 혜미와 정민이가 각각 자른 종이의 길이를 재어 보고 어림한 길이와의 차를 구합니다.
✿ 어림한 길이와 실제 길이의 차는 혜미: 5-5=0 (cm),
정민: 5-4=1 (cm)입니다.
따라서 혜미가 5 cm에 더 가깝게 어림하였습니다.

5-1 실제 길이가 10 cm인 볼펜의 길이를 가은이와 혜승이는 다음과 같이 어림하였습니다. 실제 길이에 더 가깝게 어림한 사람의 이름을 써 보세요.

가은	혜승
약 9 cm	약 12 cm

(__가은__)

✿ 어림한 길이와 실제 길이의 차는 가은: 10-9=1 (cm),
혜승: 12-10=2 (cm)입니다.
따라서 가은이가 더 가깝게 어림하였습니다.

5-2 나영, 예서, 건희는 약 7 cm를 어림하여 다음과 같이 어림한 길이만큼 종이를 잘랐습니다. 7 cm에 가깝게 어림한 사람부터 차례로 이름을 써 보세요.

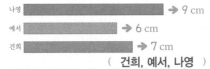

나영 ➡ 9 cm
예서 ➡ 6 cm
건희 ➡ 7 cm

(__건희, 예서, 나영__)

✿ 어림한 길이와 실제 길이의 차는 나영: 9-7=2 (cm),
예서: 7-6=1 (cm), 건희: 7-7=0 (cm)입니다.
따라서 7 cm에 가깝게 어림한 사람부터 차례로 이름을
쓰면 건희, 예서, 나영이입니다.

76 · Run- 2-1

★ 여러 가지 단위로 길이를 잴 때 길이 비교하기

6 가장 긴 끈을 가지고 있는 친구의 이름을 써 보세요.

• 보미: 내 끈의 길이는 연필로 5번이야.
• 동호: 내 끈의 길이는 성냥개비로 5번이야.
• 연우: 내 끈의 길이는 리코더로 5번이야.

✿ 단위길이가 긴 것부터 차례로 쓰면 리코더,
연필, 성냥개비입니다.

답 __연우__

개념 피드백 재어 나타낸 수가 같을 때는 단위길이가 가장 긴 것이 전체적인 길이가 가장 깁니다.

따라서 가장 긴 끈을 가지고 있는 친구는 연우입니다.

6-1 더 짧은 색 테이프를 가지고 있는 친구의 이름을 써 보세요.

• 주영: 내 색 테이프의 길이는 클립으로 8번이야.
• 수지: 내 색 테이프의 길이는 볼펜으로 8번이야.

(__주영__)

✿ 클립은 볼펜보다 길이가 짧으므로 주영이가 가지고 있는 색
테이프의 길이가 더 짧습니다.

6-2 지수, 민재, 영호는 쌓기나무로 탑을 쌓았습니다. 쌓은 탑의 높이가 가장 높은 친구의 이름을 써 보세요.

지수	민재	영호
클립으로 20번	뼘으로 20번	20 cm

(__민재__)

✿ 재어 나타낸 수가 같을 때는 단위길이가 길수록 탑의 높이가
높습니다. 따라서 단위길이가 긴 것부터 차례로 쓰면 뼘, 클
립, 1 cm이므로 쌓은 탑의 높이가 가장 높은 친구는 민재입
니다.

Test 교과서 서술형 연습

1 교실에 있는 무선 마우스의 길이를 재어 보려고 합니다. 보기의 물건 중 무선 마우스의 길이는 어느 것으로 재는 것이 더 편리한지 설명해 보세요.

보기
클립 뼘

해결하기 (클립 , 뼘)은 무선 마우스보다 길이가 길기 때문에 (클립 , 뼘)으로 재
면 길이를 정확하게 재기 어렵습니다.
따라서 무선 마우스의 길이보다 짧은 (클립), 뼘 으로 재는 것이 더 편리
합니다.

2 자가 없는 곳에서 칠판의 긴 쪽의 길이를 재어 보려고 합니다. 보기의 물건 중 칠판의 긴 쪽의 길이는 어느 것으로 재는 것이 더 편리한지 설명해 보세요.

보기
엄지손가락 너비 색연필

해결하기 예 **칠판의 긴 쪽의 길이가 길기 때문에 짧은**
엄지손가락 너비로 재면 여러 번 재야 해
서 불편합니다. 따라서 칠판의 긴 쪽의 길
이는 길이가 더 긴 색연필로 재는 것이 더
편리합니다.

78 · Run- 2-1

3 냉장고의 짧은 쪽의 길이를 젓가락으로 재었더니 4번이었습니다. 젓가락의 길이가 12 cm라면 냉장고의 짧은 쪽의 길이는 몇 cm인지 구해 보세요.

구하려는 것, 주어진 것에 선을 그어 봅니다.

해결하기 ① 냉장고의 짧은 쪽의 길이는 젓가락으로 4 번입니다.
② 젓가락의 길이가 12 cm이므로 냉장고의 짧은 쪽의 길이는

12 + 12 + 12 + 12 = 48 (cm)입니다.

답 구하기 48 cm

4 **주어진 것**
지아와 경은이가 길이가 7 cm인 연필로 각자 가지고 있는 끈의 길이를 재었습니다. 지아와 경은이가 가지고 있는 끈의 길이는 각각 몇 cm인지 구해 보세요.

구하려는 것

지아의 끈	경은이의 끈
4번	6번
주어진 것	주어진 것

구하려는 것, 주어진 것에 선을 그어 봅니다.

해결하기 예 ① **지아의 끈의 길이는 길이가 7 cm인**
연필로 4번이므로
7+7+7+7=28 (cm)입니다.

답 구하기 지아: 28 cm
경은: 42 cm

② **경은이의 끈의 길이는 길이가**
7 cm인 연필로 6번이므로
7+7+7+7+7+7=42 (cm)입니다.

PLAY 사고력 개념 스토리 | 고양이 먹이 주기

고양이가 하고 있는 리본의 색깔과 같은 색깔의 접시에 있는 생선을 먹을 수 있게 선을 긋거나 붙임딱지를 붙여 길을 연결하여 보세요. (단, 주어진 길이가 되도록 길을 연결해야 합니다.)

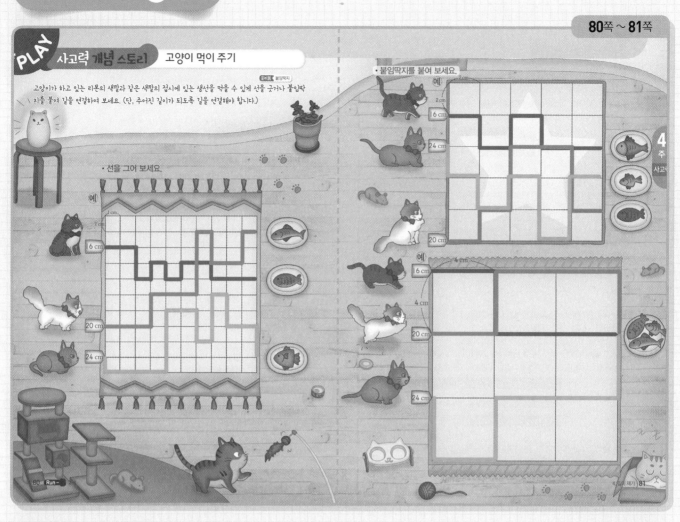

PLAY 사고력 개념 스토리 | 애벌레가 움직인 거리

애벌레들은 모두 같은 길이만큼 움직여서 나뭇잎을 먹으러 갈 수 있습니다. 아래 애벌레가 움직인 거리는 모두 몇 cm인지 구하고 다른 애벌레들도 나뭇잎을 먹으러 갈 수 있게 길을 연결해 보세요.

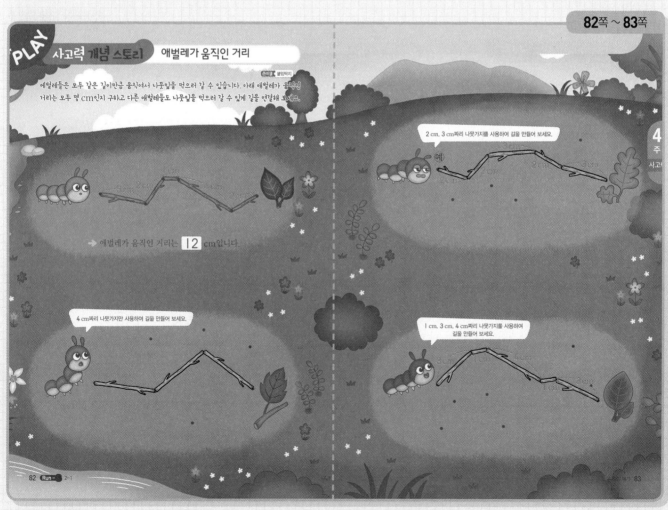

→ 애벌레가 움직인 거리는 12 cm입니다.

① 단계 교과 사고력 잡기

1 목수 할아버지 제페토가 나무토막을 깎아 만든 인형 피노키오는 거짓말을 할 때마다 코가 길어집니다. 피노키오의 코의 길이를 자로 재어 보고 피노키오는 거짓말을 몇 번 했는지 구해 보세요.

거짓말을 1번 할 때마다 코가 2 cm씩 길어진단다.

❶ 피노키오는 거짓말을 1번 할 때마다 코가 몇 cm씩 길어질까요?

(**2 cm**)

❷ 피노키오의 길어진 코의 길이를 자로 재면 몇 cm일까요?

(**6 cm**)

✚ 피노키오의 코의 한쪽 끝을 자의 눈금 0에 맞추고 길이를 재어 보면 피노키오의 길어진 코의 길이는 6 cm입니다.

❸ 피노키오는 거짓말을 몇 번 했을까요?

(**3번**)

6 cm에는 2 cm가 3번 들어갑니다.
따라서 피노키오는 거짓말을 3번 했습니다.

---

2 액자의 긴 쪽과 짧은 쪽의 길이를 각각 길이가 5 cm인 막대로 재었습니다. 액자의 긴 쪽과 짧은 쪽의 길이는 각각 몇 cm인지 구해 보세요.

5 cm

❶ 액자의 긴 쪽의 길이는 막대로 몇 번 잰 길이와 같을까요?

(**5번**)

❷ 액자의 짧은 쪽의 길이는 막대로 몇 번 잰 길이와 같을까요?

(**3번**)

❸ 액자의 긴 쪽과 짧은 쪽의 길이는 각각 몇 cm인지 구해 보세요.
긴 쪽의 길이 (**25 cm**)
짧은 쪽의 길이 (**15 cm**)

✚ (액자의 긴 쪽의 길이)=5+5+5+5+5=25 (cm)
(액자의 짧은 쪽의 길이)=5+5+5=15 (cm)

---

① 단계 교과 사고력 잡기

3 가위의 길이가 10 cm라고 할 때 연필과 크레파스의 길이의 합은 몇 cm인지 구해 보세요.

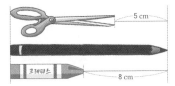

5 cm
크레파스
8 cm

❶ 연필의 길이는 몇 cm일까요?

(**15 cm**)

✚ 연필의 길이는 가위의 길이보다 5 cm 더 깁니다.
따라서 연필의 길이는 10+5=15 (cm)입니다.

❷ 크레파스의 길이는 몇 cm일까요?

(**7 cm**)

✚ 크레파스의 길이는 연필의 길이보다 8 cm 더 짧습니다.
따라서 크레파스의 길이는 15-8=7 (cm)입니다.

❸ 연필과 크레파스의 길이의 합은 몇 cm일까요?

(**22 cm**)

✚ 연필: 15 cm, 크레파스: 7 cm ➜ 15+7=22 (cm)

---

4 길이가 20 cm인 양초가 있습니다. 매일 일정한 길이씩 탄다고 할 때 4일 후 남은 양초의 길이는 몇 cm인지 구해 보세요.

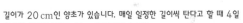

20 cm · 1일 후 · 18 cm · 2일 후 · 3일 후 ......

❶ 양초는 하루에 몇 cm씩 탈까요?

(**2 cm**)

✚ 둘째 날은 첫째 날보다 20-18=2 (cm)가 줄었으므로 양초는 하루에 2 cm씩 탑니다.

❷ 4일 동안 탄 양초의 길이는 모두 몇 cm일까요?

(**8 cm**)

✚ 양초는 하루에 2 cm씩 타므로 4일 동안 탄 양초의 길이는 모두 2+2+2+2=8 (cm)입니다.

❸ 4일 후 남은 양초의 길이는 몇 cm일까요?

(**12 cm**)

✚ 4일 후 남은 양초의 길이는 20-8=12 (cm)입니다.

2 단계 교과 사고력 확장

정답과 풀이 p.22

1 문을 통해 오른쪽 사물함을 교실로 옮기려고 합니다. 다음과 같은 세 가지 종류의 문 중 오른쪽 사물함을 옮길 수 있는 문을 찾아 번호를 써 보세요.

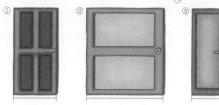

❶ 사물함의 ㉠과 ㉡의 길이를 각각 자로 재어 보세요.
㉠ (**3 cm**), ㉡ (**4 cm**)

✤ 자로 길이를 재면 ㉠의 길이는 3 cm, ㉡의 길이는 4 cm입니다.

❷ 문 ①, ②, ③의 짧은 쪽의 길이를 각각 자로 재어 보세요.
① 약 (**3 cm**), ② (**5 cm**), ③ (**2 cm**)

✤ 자로 길이를 재면 문 ①의 짧은 쪽의 길이는 약 3 cm, 문 ②의 짧은 쪽의 길이는 5 cm, 문 ③의 짧은 쪽의 길이는 2 cm입니다.

❸ 사물함을 옮길 수 있는 문을 찾아 번호를 써 보세요.
(**②**)

✤ 문을 통해 사물함을 옮기기 위해서는 문의 짧은 쪽의 길이가 사물함의 ㉠의 길이보다 긴 ②번 문으로 옮겨야 합니다.

88 · Run- 2-1

2 한 칸의 길이가 1 cm인 모눈종이에 색 테이프를 다음과 같이 접어서 놓았습니다. 색 테이프의 전체 길이는 몇 cm인지 구해 보세요.

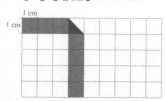

❶ 색 테이프의 겹친 부분의 길이는 몇 cm일까요?
(**1 cm**)

✤ 모눈 한 칸의 길이가 1 cm이므로 색 테이프의 겹친 부분의 길이는 1 cm입니다.

❷ 모눈종이에 색 테이프의 접힌 부분을 펴서 한 줄로 그려 보세요.

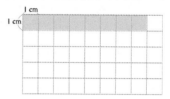

❸ 색 테이프의 전체 길이는 몇 cm일까요?
(**8 cm**)

✤ 모눈 한 칸의 길이가 1 cm이고 색 테이프의 전체 길이는 1 cm가 8번이므로 8 cm입니다.

4. 길이 재기 · 89

---

2 단계 교과 사고력 확장

정답과 풀이 p.22

3 수정이는 액자의 긴 쪽의 길이를 다음과 같이 지우개, 크레파스, 연필로 재어 보았습니다. 지우개의 길이를 이용하여 연필과 크레파스의 길이의 차는 몇 cm인지 구해 보세요. (단, 같은 물건끼리의 길이는 같습니다.)

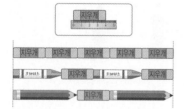

❶ 지우개 5개의 길이는 몇 cm일까요?
(**20 cm**)

✤ 지우개 1개의 길이는 4 cm이므로 지우개 5개의 길이는
4+4+4+4+4=20 (cm)입니다.

❷ 연필 1자루의 길이는 몇 cm일까요?
(**8 cm**)

✤ (연필)+(지우개)+(연필)=20 (cm),
(연필)+(연필)=16 (cm)입니다.
따라서 연필 1자루의 길이는 8 cm입니다.

❸ 크레파스 1개의 길이는 몇 cm일까요?
(**6 cm**)

✤ (크레파스)+(지우개)+(크레파스)+(지우개)=20 (cm),
(크레파스)+(크레파스)=12 (cm)입니다.
따라서 크레파스 1개의 길이는 6 cm입니다.

❹ 연필 1자루와 크레파스 1개의 길이의 차는 몇 cm일까요?
(**2 cm**)

✤ (연필의 길이)−(크레파스의 길이)=8−6=2 (cm)

90 · Run- 2-1

4 꽃밭에 벌과 나비가 한 마리씩 있습니다. 벌은 2 cm 거리에 있는 꽃들에서만 꿀을 모을 수 있고, 나비는 4 cm 거리에 있는 꽃들에서만 꿀을 모을 수 있습니다. 벌과 나비가 꿀을 모을 수 있는 꽃은 모두 몇 송이인지 구해 보세요.

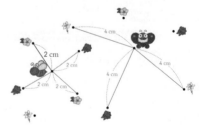

❶ 벌이 꿀을 모을 수 있는 꽃은 몇 송이일까요?
(**4송이**)

✤ 자의 눈금 0을 벌이 있는 점에 맞추고 2 cm 거리에 있는 꽃을 찾으면 4송이입니다.

❷ 나비가 꿀을 모을 수 있는 꽃은 몇 송이일까요?
(**3송이**)

✤ 자의 눈금 0을 나비에 있는 점에 맞추고 4 cm 거리에 있는 꽃을 찾으면 3송이입니다.

❸ 벌과 나비가 꿀을 모을 수 있는 꽃은 모두 몇 송이일까요?
(**7송이**)

✤ 4+3=7(송이)

4. 길이 재기 · 91

3 단계 교과 사고력 완성

정답과 풀이 p.23

평가 영역 □개념 이해력 ☑개념 응용력 ☑창의력 □문제 해결력

1 토끼가 채소를 가장 빨리 먹을 수 있는 길을 찾고 있습니다. ㉮, ㉯, ㉰ 중 가장 가까운 길을 찾아 기호를 써 보세요.

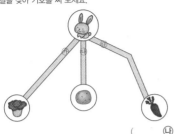

(㉯)

❖ 가장 가까운 길로 가야 채소를 가장 빨리 먹을 수 있으므로 길이가 가장 짧은 ㉯ 길로 가야 합니다.

평가 영역 □개념 이해력 ☑개념 응용력 ☑창의력 □문제 해결력

2 다영, 승기, 은지가 우물 안의 물을 마시러 갑니다. 각 친구들이 있는 곳에서 우물까지의 거리가 가장 가까운 친구는 누구인지 써 보세요.

(은지)

❖ 각 친구들의 위치에서 우물까지의 거리를 각각 자로 재어 봅니다.
다영: 5 cm, 승기: 3 cm, 은지: 2 cm
따라서 우물까지의 거리가 가장 가까운 친구는 은지입니다.

---

3 길이가 1 cm, 2 cm, 3 cm인 색 테이프가 있습니다. 이 색 테이프를 여러 번 사용하여 8 cm를 색칠해 보세요.

빨강	파랑	노랑
1 cm	2 cm	3 cm

예
8 cm [빨강][파랑][파랑][노랑][노랑][노랑][파랑][파랑]

❖ 1 cm, 2 cm, 3 cm를 사용하여 8 cm를 만드는 방법은
1 cm+2 cm+3 cm+2 cm,
2 cm+2 cm+2 cm+2 cm,
1 cm+1 cm+3 cm+3 cm……와 같이 여러 가지가 있습니다.

평가 영역 □개념 이해력 □개념 응용력 □창의력 ☑문제 해결력

4 끈 ㉮의 길이는 끈 ㉯의 길이로 3번입니다. 준형이와 윤아가 책상의 짧은 쪽의 길이를 재어 나타낸 것입니다. 준형이와 윤아 중 책상의 짧은 쪽의 길이가 더 긴 책상은 누구의 책상일까요?

준형이의 책상	윤아의 책상
끈 ㉮로 2번	끈 ㉯로 5번

(준형)

❖ 끈 ㉯의 길이를 1이라고 하면 끈 ㉮의 길이는
1+1+1=3입니다.
준형이의 책상의 짧은 쪽의 길이는 3+3=6이라 하면
윤아의 책상의 짧은 쪽의 길이는 1+1+1+1+1=5입니다.
따라서 책상의 짧은 쪽의 길이가 더 긴 책상은 준형이의 책상입니다.

Test 종합평가
4. 길이 재기

맞은 개수

정답과 풀이 p.23

1 연필의 길이는 엄지손가락의 너비로 몇 번일까요?

(6번)

❖ 연필의 길이는 엄지손가락의 너비로 6번 이은 길이와 같으므로 엄지손가락의 너비로 6번입니다.

2 모양과 크기가 같은 구슬을 다음과 같이 붙여 놓았습니다. 길이가 긴 순서대로 기호를 써 보세요.

(㉠, ㉢, ㉡)

❖ 구슬의 수를 세어 보면 ㉠ 6개,
㉡ 4개, ㉢ 5개이므로 길이가 긴 순서대로 기호를 쓰면 ㉠, ㉢, ㉡입니다.

3 1 센티미터를 바르게 쓴 것에 ○표 하세요.

( ) (○) ( )

4 다음은 몇 cm인지 쓰고 읽어 보세요.

1 cm가 8번

쓰기 (8 cm)
읽기 (8 센티미터)

❖ 1 cm가 8번이면 8 cm라 쓰고 8 센티미터라고 읽습니다.

---

5 같은 길이를 찾아 이어 보세요.

7 센티미터		1 cm가 10번
10 cm		7 cm
5 cm		5 센티미터

6 숟가락의 길이는 1 cm로 몇 번일까요?

(8번)

❖ 숟가락의 길이는 1 cm로 8번입니다.

7 주어진 길이만큼 자를 이용하여 점선을 따라 선을 그어 보세요.

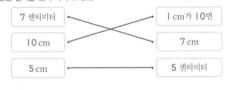

❖ 자의 눈금 0에서 시작하여 눈금 7까지 선을 긋습니다.

8 못의 길이는 몇 cm일까요?

(4 cm)

❖ 못의 길이는 2부터 6까지 1 cm가 4번 들어가므로 4 cm입니다.

Test 종합평가 4. 길이 재기

정답과 풀이 p.24

9 도형의 변의 길이를 자로 재어 □ 안에 알맞은 수를 써넣으세요.

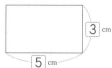

3 cm
5 cm

✤ 자로 각 변의 길이를 잴 때는 길이를 재려는 변의 한쪽 끝을 자의 눈금 0에 맞추고 변과 자를 나란히 놓은 다음 다른 쪽 끝에 있는 자의 눈금을 읽습니다.

10 칠판의 긴 쪽의 길이를 재어 보려고 합니다. 다음 중 어느 것을 단위로 하여 재는 것이 가장 좋은지 찾아 써 보세요.

클립   엄지손가락 너비   한 뼘

(**한 뼘**)

✤ 클립과 엄지손가락 너비는 짧아서 많이 재어야 하므로 불편합니다.

11 물감의 길이를 어림하고 자로 재어 보세요.

✤ • I cm로 몇 번 정도 되는지 생각어림한 길이 약 (예 **6 cm**)
하여 물감의 길이를 어림합니다.   자로 잰 길이 (**6 cm**)
• 물감의 한쪽 끝을 자의 눈금 0에 맞추고 다른 쪽 끝에 있는 자의 눈금을 읽으면 6 cm입니다.

12 □ 안에 알맞은 수를 써넣으세요.

9 cm는 I cm가 **9** 번이고, I cm가 I3번이면 **I3** cm입니다.

✤ 9 cm는 I cm를 9번 늘어놓은 것과 같고,
I cm를 I3번 늘어놓으면 I3 cm입니다.

96 · Run- B 2-1

13 가장 긴 끈을 가지고 있는 친구는 누구일까요?

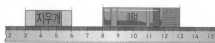

• 승아: 내 끈의 길이는 지우개로 I2번이야.
• 효진: 내 끈의 길이는 뼘으로 I2번이야.
• 민지: 내 끈의 길이는 빗자루로 I2번이야.

✤ 재어 나타낸 수가 같으면 길이가 긴 단위로 잰 것의 끈의 길이가 더 깁니다. 따라서 단위길이가 긴 것부터 차례로 쓰면 (**민지**)
빗자루, 뼘, 지우개이므로 가장 긴 끈을 가지고 있는 친구는 민지입니다.

14 민기는 뼘으로 친구들의 키를 재었습니다. 키가 큰 친구부터 차례대로 이름을 써 보세요.

영호	명철	동현
I0번	I3번	I4번

(**동현, 명철, 영호**)

✤ 뼘으로 재어 나타낸 수가 클수록 키가 큰 친구입니다.
따라서 I4>I3>I0이므로 키가 큰 친구부터 차례대로 이름을 쓰면 동현, 명철, 영호입니다.

15 지우개와 풀의 길이의 합은 몇 cm일까요?

지우개   풀

(**8 cm**)

✤ 지우개의 길이는 3부터 6까지 I cm가 3번 들어가므로 3 cm이고, 풀의 길이는 8부터 I3까지 I cm가 5번 들어가므로 5 cm입니다.
따라서 지우개와 풀의 길이의 합은 3+5=8 (cm)입니다.

16 채민, 혜승, 서연이가 각자의 뼘으로 교실 책상의 긴 쪽의 길이를 재어 나타낸 것입니다. 한 뼘의 길이가 가장 긴 친구는 누구일까요?

채민이의 뼘	혜승이의 뼘	서연이의 뼘
6번	7번	5번

(**서연**)

✤ 같은 길이를 잴 때 한 뼘의 길이가 길수록 재어 나타낸 수가 작습니다.
따라서 7>6>5이므로 한 뼘의 길이가 가장 긴 친구는 서연이입니다.

4. 길이 재기 · 97

4 주 평가

Test 종합평가 4. 길이 재기

정답과 풀이 p.24

17 동화책의 긴 쪽의 길이는 I cm인 색 테이프로 I7번입니다. 동화책의 긴 쪽의 길이는 몇 cm일까요?

(**I7 cm**)

✤ I cm로 I7번이면 I7 cm이므로 동화책의 긴 쪽의 길이는 I7 cm입니다.

18 한 칸의 길이가 I cm인 모눈종이 위에 다음과 같이 굵은 선을 그었습니다. 굵은 선의 길이는 몇 cm일까요?

(**I0 cm**)

✤ 굵은 선의 길이는 I cm가 I0번이므로 I0 cm입니다.

19 ㉠의 길이가 4 cm이면 ㉡의 길이는 몇 cm일까요?

㉠
㉡

(**I6 cm**)

✤ ㉡의 길이는 ㉠의 길이로 4번이므로
4+4+4+4=I6 (cm)입니다.

20 반창고의 길이를 영수는 약 7 cm라고 어림하였고, 보미는 약 6 cm라고 어림하였습니다. 실제 길이에 더 가깝게 어림한 사람은 누구일까요?

(**보미**)

✤ 반창고의 길이를 자로 재어 보면 6 cm입니다.
따라서 영수: 7-6=I (cm), 보미: 6-6=0 (cm)이므로 보미가 더 가깝게 어림하였습니다.

98 · Run- B 2-1

특강   창의·융합 사고력

정답과 풀이 p.24

1 강아지를 키우는 친구들이 강아지와 함께 산책을 하러 공원에 왔습니다. 강아지 리드줄의 길이를 비교할 때 같은 길이의 리드줄을 가진 친구를 모두 써 보세요.

→ 강아지를 데리고 움직일 때 연결하는 줄

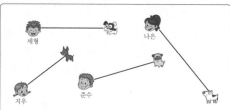

세형   나은   지우   준수

(**세형, 준수**)

✤ 리드줄의 길이를 자로 각각 재어 보면 세형이는 4 cm, 지우는 3 cm, 준수는 4 cm, 나은이는 5 cm입니다.
따라서 리드줄의 길이가 같은 친구는 세형, 준수입니다.

2 병아리가 사각형의 각 변을 따라 엄마 닭을 찾아가려고 합니다. 그림에서 가장 작은 사각형의 네 변의 길이는 모두 같고 한 변의 길이는 I cm입니다. 병아리가 엄마 닭이 있는 곳까지 가는 가장 가까운 길은 몇 cm일까요?

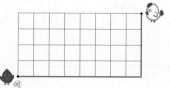

예

(**I2 cm**)

✤ 어느 길로 가더라도 오른쪽으로 8칸, 위쪽으로 4칸 가야 하므로 8+4=I2 (칸) 가야 합니다.
따라서 I칸은 I cm이므로 병아리가 엄마 닭이 있는 곳까지 가는 가장 가까운 길은 I2 cm입니다.

4. 길이 재기 · 99

4 주 평가

단원별 기초 연산 드릴 학습서

최강 단원별 연산은 내게 맡겨라!

천재
계산박사

교과과정 바탕

교과서 주요 내용을
단원별로 세분화한 12단계 구성으로
실력에 맞는 단계부터 시작 가능!

연산 유형 마스터

원리 학습에서 계산 방법 익히고,
문제를 반복 연습하여
초등 수학 단원별 연산 완성!

재미 UP! QR 학습

딱딱하고 수동적인 연산학습은 NO!
QR 코드를 통한 〈문제 생성기〉와
〈학습 게임〉으로 재미있는 수학 공부!

탄탄한 기초는 물론
계산력까지 확실하게!
초등1~6학년(총 12단계)

정답은
이안에
있어 ！

난이도 별점
쉬움 ★
보통 ★★★
어려움 ★★★★★
최상위 ★★★★★★★

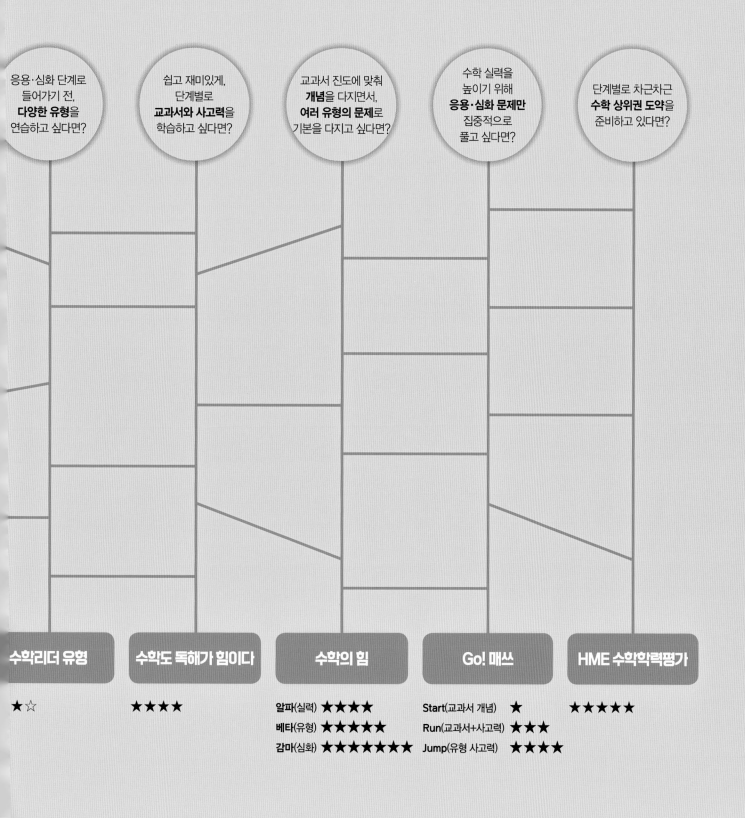

응용·심화 단계로 들어가기 전, **다양한 유형을** 연습하고 싶다면?

쉽고 재미있게, 단계별로 **교과서와 사고력을** 학습하고 싶다면?

교과서 진도에 맞춰 **개념**을 다지면서, **여러 유형의 문제로** 기본을 다지고 싶다면?

수학 실력을 높이기 위해 **응용·심화 문제만** 집중적으로 풀고 싶다면?

단계별로 차근차근 **수학 상위권 도약**을 준비하고 있다면?

수학리더 유형

수학도 독해가 힘이다

수학의 힘

Go! 매쓰

HME 수학학력평가

★☆

★★★★

알파(실력) ★★★★
베타(유형) ★★★★★
감마(심화) ★★★★★★★

Start(교과서 개념) ★
Run(교과서+사고력) ★★★
Jump(유형 사고력) ★★★★

★★★★★

배움으로 행복한 내일을 꿈꾸는
천재교육 커뮤니티 안내 · · · ·

 교재 안내부터 구매까지 한 번에!
천재교육 홈페이지

천재교육 홈페이지에서는 자사가 발행하는 참고서,
교과서에 대한 소개는 물론 도서 구매도 할 수 있습니다.
회원에게 지급되는 별을 모아 다양한 상품 응모에도
도전해 보세요.

 구독, 좋아요는 필수! 핵유용 정보 가득한
천재교육 유튜브 <천재TV>

신간에 대한 자세한 정보가 궁금하세요?
참고서를 어떻게 활용해야 할지 고민인가요?
공부 외 다양한 고민을 해결해 줄 채널이 필요한가요?
학생들에게 꼭 필요한 콘텐츠로 가득한 천재TV로 놀러오세요!

 다양한 교육 꿀팁에 깜짝 이벤트는 덤!
천재교육 인스타그램

천재교육의 새롭고 중요한 소식을 가장 먼저 접하고 싶다면?
천재교육 인스타그램 팔로우가 필수!
누구보다 빠르고 재미있게 천재교육의 소식을 전달합니다.
깜짝 이벤트도 수시로 진행되니 놓치지 마세요!